MIENTRAS ESTÉS CONMIGO

JEREMY CAMP

MIENTRAS ESTÉS CONMIGO

indicios

Argentina – Chile – Colombia – España
Estados Unidos – México – Perú – Uruguay

Título original: *I Still Believe – A Memoir*
Editor original: W Publishing Group, an imprint of Thomas Nelson, Tennessee
Traducción: María Celina Rojas

1.ª edición Agosto 2020

Edición a cargo de Eva Pérez Muñoz

Plaza de los Reyes Magos, 8, piso 1.º C y D – 28007 Madrid
www.indicioseditores.com

ISBN: 978-84-15732-46-4
E-ISBN: 978-84-17981-97-6
Depósito legal: B-12.568-2020

Fotocomposición: Ediciones Urano, S.A.U.

Impreso por: Romanyà-Valls – Verdaguer, 1 – 08786 Capellades (Barcelona)

Impreso en España – *Printed in Spain*

Índice

Prefacio
por Bart Millard

Cuando me enteré de que adaptarían el libro de Jeremy, *Mientras estés conmigo* (*I Still Believe*) para llevarlo a la gran pantalla, me alegré mucho por él. Conozco a Jeremy desde el 2002, cuando hicimos nuestra primera gira juntos en el Festival Con Dios. Estaba entusiasmado porque sabía el poder que puede tener una película para hacer llegar a un público nuevo un relato sobre la gracia de Dios.

Pero, si os soy sincero, también estaba un poco nervioso por él. Cuando en el año 2017 se estrenó la película *La canción de mi padre* (España) / *Si solo pudiera imaginar* (Hispanoamérica), que cuenta la historia de mi vida y todas las dificultades que me llevaron a escribir la canción «I Can Only Imagine», no me percaté de lo difícil que sería el proceso para mi familia y para mí. Ver tu vida en la gran pantalla es aterrador y te da una lección de humildad. Los actores te representan a ti y a tu familia y amigos. Dicen cosas que has dicho y hacen cosas que has hecho, las malas y las buenas. Tienes el privilegio de revivir algunas de las experiencias más increíbles de tu vida, pero también muestras tus peores momentos al público. Permitir que los cineastas quitaran la coraza de protección y dejaran al descubierto la historia que inspiró la canción «I Can Only Imagine» y la formación de la banda MercyMe fue una de las cosas que más vulnerabilidad me ha provocado en mi vida.

Sé que Jeremy alberga los mismos temores y ansiedades con respecto a ver su vida expuesta en la gran pantalla. Sé cuán emocionado y atemorizado se siente. Y rezaré para que Dios se valga de su poderosa historia para seguir construyendo Su reino.

Cuesta creer que una vida se pueda resumir en dos horas de película, más o menos. Se descartan horas y horas de metraje (así como una vida entera de momentos). Me alegra que, en las páginas de este libro, tengáis la posibilidad de conocer los detalles de la vida de Jeremy que no se incluyeron en la película.

La historia de Jeremy sobre el amor y la pérdida de su esposa Melissa —y sobre la fortaleza y la bendición que supuso la llegada posterior a su vida de Adrienne— es un testimonio poderoso de la gracia de Dios. Como leeréis más adelante, el último deseo de Melissa fue que Dios se valiera de su muerte para atraer a la fe aunque solo fuera a una persona. La música de Jeremy y la forma conmovedora con la que ha compartido la historia de Melissa han acercado a muchas más personas al reino de Dios. Y ahora, con la película a punto de estrenarse en los cines de todo el país, estoy deseando ver lo que Dios hará con ella.

BART MILLARD, 2019

Prólogo

Ve a por tu guitarra.

No quería. No quería hacer nada relacionado con la música. Habían pasado dos semanas desde que Melissa se había ido al cielo. Mi esposa solo tenía veintiún años, y apenas llevábamos casados tres meses y medio cuando falleció de cáncer de ovario.

Me senté a solas en el sofá de la sala de estar de mis padres, sintiéndome solo en más de un sentido.

Durante dos semanas, mi vida se había transformado en una neblina que no se disipaba. Después de que todo había parecido cobrar sentido, ahora nada lo tenía. Los médicos nos habían dicho que el cáncer de Melissa había desaparecido. Nos habíamos casado con el sueño de tener hijos y trabajar juntos en la iglesia, yo a través de la música y ella a través de los estudios bíblicos y el ministerio de las mujeres. Pero apenas tuvimos la oportunidad de cumplirlo.

Mi Melissa se había ido, y yo me preguntaba dónde estaba Dios. Quería rezar, pero la desesperación que sentía no me permitía discernir lo que pensaba. Intenté rezar, pero no sabía por dónde empezar. Las débiles palabras que lograron salir de mi boca dirigidas a Dios parecían perderse en la bruma que me estaba devorando.

¿De verdad me escuchas, Dios?

¿De verdad te importamos?

¿Dios? ¿Estás cerca?

Ve a por tu guitarra: Por primera vez desde la muerte de Melissa, sentí que Dios me estaba respondiendo. Escuché sus palabras claras como el agua en mi corazón.

Pero no quería ir a por la guitarra. No quería volver a tocar música o a dedicarme a nada de lo que había hecho antes. Cuando escribía canciones, escribía lo que sentía mi corazón. Ahora no sentía nada. Estaba adormecido. Estaba consumido física y emocionalmente. No tenía nada que ofrecer.

No, Señor, no. Lo último que quiero hacer es tocar la guitarra.

Ve a por tu guitarra. Tengo algo para ti que debes escribir.

Me rendí, fui a por la guitarra y, casi sin pensar, comencé a rasguear algunos acordes. No entendía por qué estaba tocando, pero seguí haciéndolo. Las emociones comenzaron a agolparse en mi interior. Sentí que se me llenaban los ojos de lágrimas. Las palabras (pensamientos reales) acudieron a mí y empecé a pronunciarlas mientras tocaba.

Scattered words and empty thoughts / Palabras inconexas y pensamientos vacíos
Seem to pour from my Heart / Parecen brotar de mi corazón

Por primera vez en dos semanas, me veía capaz de expresar cómo me sentía.

I've never felt so torn before / Jamás me he sentido tan destrozado
Seems I don't know where to start / No sé por dónde empezar

De inmediato busqué un bolígrafo y un cuaderno y regresé al sofá.

But it's now that I feel Your grace fall like rain / Pero ahora es cuando siento tu gracia cayendo como la lluvia
From every fingertip, washing away my pain / Desde cada punta de los dedos, llevándose mi dolor

Apunté las palabras que seguían llegándome.

I still believe in Your faithfulness / Todavía creo en tu lealtad
I still believe in Your truth / Todavía creo en tu verdad
I still believe in Your holy Word / Todavía creo en tu palabra sagrada

Las palabras salían a borbotones, no desde mi cabeza, sino desde lo más profundo de mi alma.

Even when I don't see, I still believe / Incluso cuando no veo, todavía creo

Alterné entre tocar la melodía y escribir en el cuaderno hasta que canté en voz baja y anoté las últimas palabras.

In brokenness I can see that this was Your will for me / En mi desolación, veo que esto es lo que querías para mí.
Help me to know You are near / Ayúdame a saber que estás cerca.[1]

Me recosté, sobrepasado por las palabras que habían llegado hasta mí, e ignorando por completo cómo las usaría Dios para hablar a otros a través de mi persona, para hablar a aquellos que, como yo, se sentían abandonados en el valle más profundo de la vida. A aquellos que necesitaban esperanza. Que necesitaban el impulso para permitir a Dios entrar en sus almas, llegar hasta la raíz de su fe, y luego encontrar la determinación para proclamar: «¡Todavía creo!».

Escribí «I Still Believe» en diez minutos.

Aunque, en realidad, había estado escribiendo esa canción durante toda mi vida.

Capítulo 1

COMIENZA EN CASA

Fe y familia.

Cuando miro atrás, tiene sentido que el proceso para superar la muerte de Melissa comenzara en la casa de mis padres en Lafayette, Indiana.

Había dejado mi hogar para viajar a California y estudiar en el colegio bíblico, una institución cristiana de educación superior en la que se imparten estudios de la Biblia y teología y se prepara a los alumnos para el ministerio. En California descubrí mi camino en el ministerio. Fue allí donde comencé mi carrera musical. Fue allí donde encontré a la compañera que Dios había elegido para mí. Pero tras el funeral de Melissa, cuando el camino que yo creía que se extendía frente a mí desapareció de repente, cuando mi fe se tambaleó de una manera que nunca había creído posible, lo único que se me ocurrió fue regresar a casa.

La fe y la familia se encuentran perfectamente entretejidas en la historia de mi vida.

Mis padres me brindaron lo que ellos no tuvieron mientras crecían: un hogar cristiano. Lo que fue un milagro de por sí.

Imaginaos a un hombre borracho y a su amigo, en el mismo estado, entrando con pasos tambaleantes a una iglesia un domingo por la noche, que terminan respondiendo a un llamado al altar para aceptar a Jesús como su Salvador. Pues esa es la maravillosa historia de conversión de mi padre.

Mi padre, Tom —o «Bear», como lo llamaban sus amigos—, dejó el instituto a los dieciséis debido a su adicción a las drogas y al alcohol. (Más adelante obtuvo el diploma de educación general y fue a la universidad). Mi padre es el alma de las fiestas y es una persona muy divertida, así que, durante su juventud, no le resultó difícil encontrar fiestas o convencer a los demás para que se unieran a ellas.

Mi madre, Teri, era la típica chica buena del instituto. Creció en un entorno estable. Era muy buena estudiante y tenía planes y objetivos que cumplir. Cuando conoció a mi padre, en el último curso de instituto, y empezó a salir con él, había conseguido que la aceptaran en la Universidad Purdue.

Su relación fue la comidilla de los pasillos, pero no en el sentido de «la líder de las animadoras sale con el *quarterback*», sino más bien «¿Qué está haciendo una chica como *ella* con un chico como *él*?».

Ella había caído rendida a la simpatía de mi padre y le parecía que era una persona con la que podía hablar de todo. Pero como bebía en exceso y consumía marihuana, a mi padre le costaba conseguir un empleo estable. Así que mi madre se vio obligada a abandonar sus planes de estudiar interiorismo en la universidad y se puso a trabajar. Mis padres pronto se hicieron conocidos por las fiestas que organizaban. En aquel momento, mi padre vendía marihuana, así que imaginaos la clase de fiestas e invitados que recibían en su casa.

Cuando se enteraron de que mi madre estaba embarazada, se fueron a vivir juntos y mi hermana, April, nació fuera del matrimonio en 1975. Tener a una recién nacida terminó con las fiestas en casa, pero la vida de mi padre siguió por el mal camino. Bebía cada vez más y había comenzado a consumir y a vender cocaína. Cuanto más bebía, más violento se volvía.

Aproximadamente un año y medio después del nacimiento de April, mi padre luchaba contra la depresión y se dio cuenta de que su vida estaba cayendo en una espiral sin control.

—No sé qué me está pasando —le dijo a mi madre—. Me siento tan vacío por dentro. No eres tú. Ni tampoco April. Las drogas no me hacen feliz. No sé qué va mal.

—¿Necesitas ver a un psiquiatra? —le preguntó mi madre.

—No —respondió él—. Necesito hablar con un pastor.

En la Navidad de 1976, mi padre estaba sumido en una profunda depresión. Mi madre creyó que podría autolesionarse, pero cuando intentó consolarlo, mi padre dijo: «Tengo que ir a la iglesia. Ahora mismo».

Esa noche deambularon de iglesia en iglesia, buscando una que estuviera abierta. Al final, encontraron una donde había algunas personas tocando música. Mis padres entraron y se sentaron en silencio en uno de los bancos, pero los músicos no les dirigieron la palabra, probablemente porque tenían más pinta de *hippies* que de feligreses. Mis padres permanecieron sentados allí hasta que mi madre le preguntó a mi padre si se sentía mejor.

«Sí», dijo, y se marcharon.

Cuatro días más tarde, un miércoles por la noche, decidieron ir de nuevo a una iglesia.

Cuando mi padre era pequeño, una vecina adorable llamada Meb lo llevaba a la iglesia con ella de vez en cuando. En una de aquellas ocasiones, cuando tenía once años, había decidido aceptar a Cristo. Sin embargo, sin una familia que mantuviera ese vínculo espiritual, terminó abandonando la iglesia. Durante los primeros años de su relación con mi madre, mi padre había hablado con ella sobre temas espirituales, pero el cristianismo se mantuvo como algo en lo que él pensaba y que cuestionaba en su interior y nunca salió de ese ámbito. Aunque al menos contaba con la base religiosa que le había proporcionado Meb cuando por fin reflexionó sobre su vida y llegó a la conclusión de que necesitaba hacer un cambio radical. Había intentado un montón de alternativas, pero en el fondo de su corazón sabía cuál era la verdad y que el Espíritu Santo lo estaba llamando y desplegando todo su poder en su interior.

De niña, mi madre había asistido a la iglesia por temporadas; iba con su madre mientras que su padre se quedaba en casa, excepto los domingos de Pascua y algunas otras ocasiones especiales. De pequeña, le gustaba leer un libro que había comprado mi abuela de historias de la Biblia. Sin embargo, a pesar de que conocía a Jesús, nunca había logrado establecer una conexión con Él. Y con mi padre mostrando una tendencia hacia una conducta peligrosa, estaba dispuesta a que la iglesia lo impulsara a realizar el cambio que necesitaba.

Unos pocos días después de Navidad, mi padre volvió a decir: «Tengo que hablar con un pastor. Sé adónde podemos ir... Meb estará en la iglesia».

Mi padre sabía dónde se encontraría su antigua vecina un miércoles por la noche. Cuando llegaron a la iglesia, el servicio acababa de terminar y los feligreses estaban marchándose. Tal y como había esperado, Meb estaba allí. Al ver a mi padre, esbozó una enorme sonrisa. Cuando él le dijo que necesitaba hablar con un pastor, ella les presentó al suyo. Los cuatro tomaron asiento, y mi padre detalló sus problemas y describió el vacío que sentía en su vida. El pastor identificó el problema como un pecado no confesado y explicó que el vacío que sentía mi progenitor era uno que solo Cristo podía llenar. Mi padre estuvo de acuerdo. Luego el pastor invitó a mis padres a que rezaran para pedir perdón, aunque mi madre más bien lo hizo por vergüenza y para evitar la potencial incomodidad de ser la única voz discordante en un grupo tan reducido.

Al terminar la oración, el pastor les entregó una lista corta y directa de los cambios que necesitaban hacer: «Tenéis que casaros, cambiar vuestra forma de vestir, cortarte el pelo y hacer nuevos amigos».

Mis padres comprendieron que debían dejar las drogas y el alcohol. Aunque se quedaron un poco desconcertados sobre cómo podían conseguir nuevos amigos de la noche a la mañana. Y con respecto a su vestimenta, a duras penas podían permitirse la ropa que tenían. ¿Cómo se suponía que iban a comprar un nuevo guardarropa?

Para empezar, mi padre tenía un problema con el matrimonio. Cuando tenía dieciséis años había estado casado durante un breve período de tiempo. Su novia se quedó embarazada y decidieron pasar por el altar. Pero cuando ella tuvo un aborto, se dieron cuenta de que no querían estar juntos y se divorciaron tras menos de seis meses de relación. En el pasado, mi padre le había preguntado a mi madre en alguna que otra ocasión si se casaría con él si se lo proponía. Ella le aseguraba que lo haría, pero mi padre nunca dio el paso. Le decía a mi madre que no tenía interés en casarse porque nunca había conocido a ningún matrimonio que fuera feliz, ni durante su infancia y adolescencia, ni cuando había estado casado durante esos pocos meses. Pero cuando pensó en lo que el pastor había dicho sobre que tenían que contraer matrimonio, finalmente accedió.

El pastor les regaló una Biblia, pero no les proporcionó ningún consejo concreto sobre cómo lograr los cambios que, según él, necesitaban hacer.

Así que se marcharon de la iglesia preguntándose: «*¿Cómo podremos llevar a cabo todo esto?*».

Un cambio para bien

La Biblia que el pastor había regalado a mis padres era una versión del rey Jacobo. A mi padre no se le daba bien leer, y esta versión era un desafío todavía mayor, así que mi madre se la leía. Continuaron hablando sobre la iglesia, y mi madre mencionó que sus compañeros de trabajo le habían estado hablando sobre Jesús y le habían asegurado que en su iglesia los recibirían sin importar su apariencia o qué ropa vistieran. Mi padre accedió a intentarlo.

Planearon asistir a la iglesia de las Asambleas de Dios la tarde del primer domingo de año nuevo, el 2 de enero de 1977. Esa mañana, mi padre había ayudado a un amigo a mudarse y por la tarde ambos salieron a dar una vuelta.

Mientras mi madre se estaba preparando para la iglesia, él la llamó:

—¿Dónde estás? —le preguntó ella.

—En un restaurante mexicano.

Ella sabía que se encontraba en el único restaurante de la zona que servía cerveza los domingos.

—¿Has estado bebiendo?

—Ah, solo un poco.

Cuando mi padre regresó a casa para llevarla a la iglesia, él y su amigo reían a cuento de cómo habían sido los últimos en salir del restaurante. Habían estado bebiendo más que «solo un poco». Mi madre se puso a llorar. Desde la noche en la que habían rezado en la iglesia de Meb, ninguno de los dos había consumido drogas o alcohol, ni siquiera en vísperas de Año Nuevo. «De ninguna manera iré a la iglesia con vosotros», dijo mi madre.

Mi abuela estaba cuidando a April esa tarde, así que, cuando mi madre vio lo borrachos que se encontraban mi padre y su amigo, se fue sola a la iglesia.

Como era domingo por la tarde, la multitud de aproximadamente trescientas personas no era tan numerosa como la del servicio dominical matinal. Habían dispuesto unas ocho hileras de sillas plegables para que las personas se sentaran cerca del altar. Mi madre se colocó en el medio de la última fila disponible. Poco tiempo después de que el servicio comenzara, oyó una conmoción detrás de ella. Miró por encima del hombro y vio a mi padre y a su amigo cruzando la puerta del fondo a trompicones.

La primera reacción de mi progenitora fue intentar esconderse. Volvió a mirar en dirección al altar, se hundió en la silla e intentó pasar desapercibida entre las personas que tenía delante de ella. No funcionó. Mi padre y su amigo la encontraron y empezaron a abrirse camino hasta ella. Pero no lo hicieron caminando por el pasillo y metiéndose de forma discreta en la fila donde estaba sentada mi madre. Mi padre decidió tomar la ruta más directa del punto A al punto B y ¡saltó por encima de las sillas!

Mi madre siguió con la vista clavada en el altar mientras el resto de las personas se daban la vuelta para mirar a los dos borrachos que saltaban de silla en silla. Mi padre y su amigo se sentaron junto a mi avergonzada madre, y el amigo comenzó a parlotear.

Una de las personas que ayudaban en la iglesia, que estaba intentando calmar el alboroto, se acercó y preguntó al amigo de mi padre si le gustaría sentarse a su lado, y el compañero de copas de mi padre aceptó.

El pastor hablaba sobre cortar los lazos con el alcohol y las drogas. El amigo de mi padre abandonó un par de veces su asiento durante el sermón para acercarse a mi progenitor y decirle: «Eh, Bear, ¡este tipo sabe de lo que está hablando!» y luego regresó a su ubicación junto al feligrés.

Mientras el pastor continuaba con su sermón, mi madre notó las lágrimas que caían del rostro de mi padre. Las palabras del pastor habían calado hondo en él y estuvo llorando durante todo el servicio.

Cuando el pastor terminó y preguntó si a alguien le gustaría acercarse para pedir a Jesús que entrara en su corazón, el amigo de mi padre corrió hacia el altar mientras mis padres dudaban y pensaban: *¿Acaso no hemos hecho esto antes?* Entonces, un joven pastor se les acercó y les ofreció conducirlos al altar para responder al llamado del pastor, ellos se pusieron de pie y también se abrieron paso por el pasillo. La congregación los rodeó a los tres y rezó por ellos. En ese momento, al ver que todos lloraban, mi madre sintió un alivio enorme al saber que esos dos hombres por fin cambiarían. En ese acto, mi padre se liberó de las drogas y del alcohol y salió de la iglesia como una persona sobria.

Más adelante, mis padres descubrieron que los alcohólicos y los *hippies* eran el tipo de personas que menos gustaban al pastor, pero aun así, esa noche aceptó en la iglesia a mi padre y a su amigo. Los feligreses habían estado rezando para que en su parroquia se produjera un renacimiento, y eso fue precisamente lo que comenzó la noche en la que, de entre todas las personas posibles, dos *hippies* borrachos respondieron el llamado al altar. ¡Dios obra de maneras misteriosas!

El pastor acabó teniendo muchas oportunidades de compartir lo que él llamaba el «ministerio para cualquier persona», exhortando al cuerpo de Cristo a obrar sobre cualquiera que Dios pusiera en su camino.

En lugar de concentrarse en el mundo exterior, los miembros de esa iglesia animaron a mis padres a involucrarse en la Palabra y en la fraternidad con otros creyentes. Les dieron una copia de la Biblia Viviente para llevarse a casa y les aconsejaron que comenzaran a leer el Evangelio de Juan. La manera como Juan expresaba el amor que Jesús había manifestado hacia toda la humanidad a través de su muerte y resurrección tuvo un impacto profundo en el corazón de mi madre. Y tuvo la revelación de que, al igual que mi padre, ella también era una pecadora que necesitaba salvación. Una noche, sentada en su sillón favorito de la sala de estar, dijo: «Señor, perdóname». Ese fue el momento que cambió su vida para siempre. Le pidió a Jesús que entrara en su corazón y rezó: «Iré adonde me lleves, haré lo que sea. Lo que Tú me pidas, soy tuya».

Algo muy propio de ella, teniendo en cuenta las personalidades opuestas de mis padres. Mi padre encontró a Cristo en un sitio público y de una forma muy emotiva. Mi madre lo hizo de manera privada y en un momento de tranquilidad. Sin embargo, el impacto inmediato de sus decisiones fue el mismo: sus vidas cambiaron por completo. El 22 de enero de 1977, en esa misma iglesia de las Asambleas de Dios, contrajeron matrimonio. Desde ese día en adelante, forjaron la clase de relación que Dios prescribía en las Escrituras y establecieron los cimientos de la fe en la que me criarían.

Yo nací al año siguiente, el 12 de enero de 1978. Ocho años más tarde nació Jared. Dos años después se sumó Joshua. Josh nació con síndrome de Down, y fue una bendición que completó nuestra familia en más de un sentido.

La decisión de nuestros padres de abrazar el cristianismo no les hizo más fácil la vida ni a ellos, ni a nuestra familia. De hecho, fue todo lo contrario, porque tuvimos que enfrentarnos a nuestra cuota de problemas. Y no todos nosotros recorrimos el camino que nuestros padres querían que siguiéramos.

Pero durante todo nuestro viaje juntos, siempre supimos a dónde recurrir a la hora de buscar las respuestas a las preguntas de la vida: a la Palabra de Dios y a nosotros como familia. Y esa costumbre ha permanecido intacta desde que éramos los niños Camp hasta que nos convertimos en adultos y formamos nuestras propias familias. Nuestra familia es un reflejo de la misericordia de Dios.

Aprendiendo en casa

Antes de dejar el instituto, mi padre había tenido dificultades para concentrarse en la lectura, probablemente debido al abuso que hacía de las drogas y el alcohol. Sin embargo, recuerdo que, mientras crecía, mi padre siempre estaba leyendo la Biblia. Él aseguraba que, debido a los problemas que había tenido en la escuela, había odiado leer antes de abrazar el cristianismo. Pero le encantaba pasar el tiempo estudiando la Palabra de Dios. De hecho, estuvimos viviendo una breve temporada en Springfield, Missouri, para que mi padre pudiera estudiar en el Central Bible College y prepararse para dedicarse al ministerio a tiempo completo.

Recuerdo que los Camp siempre estuvimos muy involucrados en la iglesia. Éramos una de esas familias que prácticamente entraba a la iglesia cada vez que se abrían las puertas. Mis padres asistían e impartían estudios bíblicos. Siempre venían amigos a nuestra casa, y mi padre tocaba la guitarra y dirigía la adoración en nuestro propio salón. Mi madre y mi padre compartían su fe con quienquiera que conocieran, y siempre contaban la transformación total que Dios había obrado en sus vidas.

De mis padres se me ha quedado grabado lo auténticos que eran. Eran las mismas personas en casa que en la iglesia. No asistían a la iglesia, rezaban con las manos alzadas y hablaban como cristianos, y luego regresaban a casa y se comportaban o hablaban de manera diferente. No llevaban vidas segmentadas. Se mostraban tal y como eran porque esa era su naturaleza; Dios había cambiado por completo sus corazones y eso se reflejaba en cada aspecto de sus vidas. Reconozco que esa constancia de mis padres en seguir una vida cristiana es la razón por la cual nunca me cansé del cristianismo mientras crecía, ni siquiera durante los años en los que me desvié del buen camino.

La frase «Tiene alma de pastor» describe perfectamente a mi padre. Es muy bueno escuchando y se preocupa de verdad por las personas. Recuerdo cómo los invitados se sentaban en nuestro salón y le abrían sus corazones, y él se quedaba allí y no solo escuchaba, sino que les prestaba toda su atención. Es una persona muy sociable, y a la gente le encanta estar con él.

Mi padre también es tremendamente divertido. Tras abrazar el cristianismo, siguió siendo el alma de las fiestas... aunque fiestas muy diferentes. Nos íbamos de campamento —sí, los Camp iban de campamento— y se inventaba canciones muy graciosas alrededor de la fogata. Para involucrar a toda la familia, nos fastidiaba hasta que accedíamos a repetir los versos absurdos que improvisaba. En una ocasión fuimos a patinar sobre hielo y se puso un peto con unos pantalones cortos encima solo para hacer el tonto.

Mi madre era más reservada y tranquila. No expresaba demasiado sus emociones (excepto cuando era testigo de la obra del Señor) y era meticulosa. Siempre me parecía que tardaba una eternidad en maquillarse y que escribía muy despacio, pero cuando terminaba, su letra se veía impecable.

Mantenía la casa limpia y ordenada porque, al igual que mi padre, le encantaba recibir las visitas de sus amigos y ser la anfitriona de estudios bíblicos y grupos de oración. En realidad estaba muy comprometida con la oración. Recuerdo entrar muchas, muchas veces en alguna habitación y encontrármela con la cabeza agachada, rezando y pidiendo por otros.

Mis padres eran polos opuestos que se atraían, pero a través de Cristo sus personalidades tan contrarias se complementaban. Mi padre era de los que iba a por las cosas de forma directa. Si sentía que Dios quería que hiciera algo, estaba listo para cumplirlo. Mi madre, en cambio, decía: «Primero tenemos que asegurarnos, así que recemos un poco más». Tengo una personalidad más parecida a la de mi padre, pero gracias a mi madre, aprendí lo importante que es la disciplina y la constancia en el estilo de vida cristiano.

Cuando de niños nos surgía algún problema, nuestros padres nos alentaban con palabras y consejos de las Escrituras, no solo con sus propias palabras y observaciones. Dábamos prioridad al tiempo que dedicábamos a rezar porque nuestra casa era un hogar de oración. Solíamos rezar juntos, como una familia. Cuando teníamos alguna necesidad, ya fuera individual o colectiva, orábamos por ella. Y no os quepa la menor duda de que tuvimos necesidades.

Capítulo 2

LUCHA INTERNA

Nuestra familia no era solo pobre, sino muy pobre. Antes de que mi padre abrazara el cristianismo, su adicción al alcohol y a las drogas le había impedido mantener un trabajo estable. Después de que mis padres encontraran la salvación, cambiaron sus prioridades y se centraron en Dios y en asentar los cimientos para nuestra familia. Como mi padre no tenía una buena formación académica, los mejores empleos a los que podía acceder eran puestos en fábricas, en los que se solían hacer turnos muy largos, incluidos los domingos. En cambio, escogió trabajar en el ámbito de la construcción, lo que le permitía pasar más tiempo con nuestra familia y seguir en contacto con la comunidad de creyentes. Pero en esos trabajos tenía más probabilidades de que le despidieran, sobre todo durante el invierno.

No exagero cuando afirmo que había días en los que nuestra despensa estaba vacía, y sabíamos que seguiría así hasta la próxima paga de mi padre. Rezábamos en familia para pedir por comida, y recuerdo que algunas noches orábamos, y a la mañana siguiente había una bolsa con alimentos en nuestra puerta de entrada. Que yo supiera, mis padres no le decían a nadie que no teníamos para comer. Pero Dios sí lo sabía, y Él conseguía que algún corazón noble se percatara de nuestras necesidades. Muchas veces no teníamos ni idea de quién nos había traído la comida, pero siempre sabíamos que la proveía Dios.

En algunas ocasiones nos cortaron el suministro de electricidad y agua porque no podíamos pagar las facturas. Cuando no teníamos luz, usábamos velas y lámparas de aceite hasta que llegaba el siguiente salario.

En una de las casas en las que vivimos, nos calentábamos con una estufa de leña que había en el sótano. El sótano me daba un miedo atroz —parecía una caverna subterránea— y cuando mi padre se iba a trabajar y yo me convertía en el hombre de la casa, me aterrorizaba bajar allí para encender la estufa. A mi madre tampoco le gustaba esa zona de la casa. Solía estudiar o leer en mi dormitorio de la planta de arriba envuelto en mantas porque tiritaba de frío. Pero no había forma de que bajara a ese sótano.

En una ocasión, cuando nos habíamos quedado sin electricidad y no podíamos descargar el inodoro porque nuestro suministro de agua provenía de una bomba, tuvimos que llenar un cubo de nieve y verterlo en la cisterna del retrete para poder solucionarlo. Recuerdo cuando nos quedábamos sin papel higiénico y no teníamos dinero para comprar más, o ahorrábamos lo poco que nos quedaba para cubrir necesidades más importantes. Nuestros padres nos enseñaron a hacer papel higiénico con periódicos arrugando las páginas y frotándolas unas con otras para que se volvieran más suaves.

A veces teníamos que reunir dinero entre todos y entregárselo a mi padre para que pudiera comprar gasolina e ir en coche hasta su trabajo. April y yo contribuíamos con las pocas monedas que hubiéramos ahorrado. Juntábamos el dinero, lo contábamos sobre la mesa y le decíamos a mi padre: «Toma, aquí tienes tres dólares con cincuenta».

Es cierto que no vivíamos de ese modo todo el tiempo, pero sí con la suficiente frecuencia como para albergar recuerdos muy vívidos de cómo me sentía en esos momentos.

Nos vestíamos con mucha ropa de segunda mano, pero nuestros padres hacían todo lo posible para asegurarse de que tuviéramos todo lo que nos hiciera falta. Si uno de nosotros necesitaba un par de vaqueros o zapatos, nos los compraban. Muy de vez en cuando ahorrábamos el dinero suficiente para ir a comer a un sitio como Wendy's; lo que nos parecía todo un lujo, aunque se tratara de comida rápida.

Y entre sueldo y sueldo, mis padres vivían de la fe. Yo los observaba de cerca y me maravillaba de que mantuvieran esa fe durante situaciones difíciles que sabía tenían que ser muy estresantes. Recuerdo momentos de gran necesidad en los que mi padre se hacía con su guitarra y nos instaba a reunirnos para rezar en familia. A pesar de las circunstancias, él tocaba y cantaba con una alegría maravillosa. Para mis padres, Dios era bondadoso todo el tiempo.

Necesitaba seguir su ejemplo. En primaria, empecé a darme cuenta de lo diferente que era nuestra situación a la de las familias de otros niños de mi edad. Eso hizo que comenzara a avergonzarme porque éramos pobres.

Nuestro instituto participaba en un programa gubernamental que entregaba almuerzos gratis a niños de familias con pocos ingresos. El hecho de que mi nombre apareciera en esa lista era especialmente humillante. Cuando llegué a séptimo (creo que fue en ese curso), me sentía tan abochornado que suplicaba a mis padres que me dieran dinero para que los demás vieran que compraba comida en lugar de recibirla gratis.

En una ocasión, llevé la misma camiseta dos veces en una semana, y cuando otro estudiante me lo hizo notar, me sentí tan humillado que quise esconderme. Pero nunca guardé ningún tipo de rencor por nuestra situación. Sabía que mis padres trabajaban mucho para ganar todo el dinero que pudieran para nosotros, y tenían una fe absoluta en que el Señor nos proveería de lo necesario. Y cada vez que Él lo hacía, cualquiera que fuera el medio, ellos se aseguraban de que supiéramos que Dios nos había ayudado.

Incluso con los Pintos.

Dar y recibir

Entre los regalos que nos hacía la gente se encontraban los coches, y sin duda recibíamos algunos vehículos interesantes. La comunidad era muy generosa, aunque por supuesto no nos daban vehículos a los que les quedaran muchos años de uso. Los conducíamos durante tanto tiempo como era posible, y luego Dios obraba en el corazón de otra persona para que nos obsequiara con el siguiente. Agradecíamos enormemente cada uno de ellos. Uno de nuestros coches fue un anticuado y desvencijado Ford Pinto naranja.

Un día, mi madre fue a recoger con él a April y a dos de sus amigas a una reunión de exploradoras. Mientras conducía de regreso a casa, vio por el espejo retrovisor como una de las amigas de April observaba con atención las características peculiares del interior del coche.

—¿De dónde habéis sacado este coche? —preguntó la amiga de April.

—Nos lo regaló un amigo —respondió mi madre.

La niña continuó con su inspección antes de hacer un comentario en voz lo suficientemente alta para que mi madre la oyera:

—Mmm, menudo amigo.

Mi madre se rio por lo bajo y siguió avanzando por la carretera con el Pinto regalado.

Recuerdo otro coche —también un Pinto naranja— con el que mi madre vino a recogerme a la iglesia en una ocasión. Me subí y, cuando bajé la vista, pude ver un trozo de carretera debajo de mis pies. El suelo del asiento del acompañante estaba tan oxidado que tenía unos agujeros enormes.

Cerré la puerta y noté que había un cinturón colgando de ella.

—¿Qué es esto? —pregunté.

—Abróchate el cinturón de seguridad y sujeta este otro —me ordenó mi madre—, porque si no lo haces, la puerta se abrirá en cuanto tomemos las curvas.

Esa fue una de las veces en las que no me costó nada obedecer a mi madre. Estuve sujetando ese cinturón con todas mis fuerzas hasta que llegamos a casa.

En el tercer año de instituto, practicar deportes me ayudó a ser muy popular entre mis compañeros de clase. De hecho, tenía demasiada popularidad para mi propio bien, pero hablaré de eso más adelante.

Un día, después de clase, estaba hablando con mi novia mientras esperaba a que mi padre viniera a recogerme. *Novia* es una palabra muy fuerte para describir nuestra relación. Estábamos «saliendo», como decíamos antes, aunque en realidad no estábamos yendo a ninguna parte. Pero en ese momento parecía una relación seria. Ella no solo era mi novia, sino que también era animadora. Así que, allí estaba yo, el conocido jugador de fútbol americano, intentando parecer un tipo sensacional mientras hablaba con mi novia animadora, cuando oí el estruendo de un coche entrando en el aparcamiento. Me volví, igual que hicieron las personas que me rodeaban, y vi como mi padre detenía otro Pinto —uno rojo esta vez— que alguien nos había regalado. El coche había perdido el silenciador del tubo de escape, así que era imposible que aparcara de forma discreta en el instituto.

El Pinto estaba desvencijado y oxidado, y sentí como si todos los allí presentes me estuvieran mirando mientras me dirigía hacia el vehículo. Sujeté la manija de la puerta del copiloto y tiré. No cedió. Volví a probar, fingiendo que no era mi segundo intento. Nada. Tuve que acceder al coche metiéndome por la ventanilla. Creedme, no hay una forma disimulada de hacer eso. Para mí era muy importante no quedar en ridículo, sobre todo porque era un deportista popular en el instituto, pero en ningún momento sentí ningún resentimiento por la situación económica de nuestra familia. Deseaba poder tener mejores coches y no comprar nuestra ropa en tiendas de segunda mano, pero no guardaba ningún rencor gracias a la actitud de mis padres.

Ellos siempre se esforzaron mucho y nos enseñaron a tener fe en Dios, a creer que Él cubriría nuestras necesidades. Y lo hizo, en innumerables ocasiones.

No teníamos muchas de las cosas que queríamos, pero eso nos enseñó a apreciar las pocas oportunidades en las que las recibíamos.

La Navidad era un acontecimiento muy importante en nuestro hogar. Siempre me costaba dormir en Nochebuena y me despertaba alrededor de las tres de la mañana para preguntar a mis padres: «¿Podemos levantarnos, por favor? ¿Podemos levantarnos, por favor?». Pero ellos me enviaban de regreso a la cama, y tenía que esperar a que llegara una hora más decente para levantarme y ver qué regalos habíamos recibido.

A mis padres también les entusiasmaba la Navidad, sobre todo porque habían pasado mucho tiempo ahorrando todo el dinero posible para comprarnos los regalos y hacer que la mañana navideña fuera algo especial.

Uno de los regalos que más recuerdo demuestra lo mucho que aprendimos a valorar lo que para los demás chicos de nuestra edad quizá fuera una nimiedad. Siempre me apasionaron los deportes, y una Navidad me regalaron una bolsa Nike para guardar todo mi equipamiento deportivo. Me hizo tanta ilusión. Llevaba esa bolsa cada vez que se me presentaba la oportunidad.

Y aunque me llevé una alegría al recibir la bolsa, y también me resultó muy útil, lo que más me importó fue saber que mis padres habían trabajado horas extra y ahorrado ese dinero para hacerme un regalo que no necesitaba tener.

Espero que mis hijos sean tan agradecidos como lo fui yo en mi niñez. Si bien mi situación económica es distinta a la que tuvieron mis padres, mi esposa y yo queremos que nuestros hijos valoren y sean conscientes de que los regalos que reciben en la mañana de Navidad son bendiciones de Dios. Puede que esa lección sea más fácil de enseñar cuando una familia tiene menos recursos, como le pasó a la mía mientras crecía.

Aunque mis padres no contaban con muchos medios materiales, eran personas generosas. Eran especialmente buenos en brindar a los demás tiempo y atención, dos recursos que la gente no suele darse cuenta que puede ofrecer.

Además de participar en estudios bíblicos y formar parte de grupos cristianos, mis padres también cuidaban de chicos que atravesaban circunstancias difíciles.

Cuando yo tenía seis años, comenzaron a colaborar con un hogar de acogida para recibir a adolescentes que se habían metido en problemas. En una ocasión llegamos a tener en casa hasta ocho chicos a la vez, y algunos de ellos provenían de entornos realmente conflictivos.

En un primer momento, a mis padres les dijeron que podían hablar de Cristo a los chicos, pero solo si ellos preguntaban por Él. Sin embargo, cuando mis padres compartían el Evangelio con los muchachos que estaban interesados, el hogar de acogida se mostraba en contra.

Por esa razón, abandonaron el programa casi un año después. Mi padre decidió trabajar como cuidador infantil en un hogar, así que siempre llevaba niños a casa, e incluso a algunos adultos que necesitaban ayuda. Recuerdo a una mujer mayor que estaba en silla de ruedas y vivió con nosotros durante un tiempo. También recuerdo a un policía encargado de vigilar el absentismo escolar que llamaba a mis padres a menudo para preguntarles si podían aceptar a otro chico. Y nuestro pastor contactaba con ellos para informarles sobre personas que él conocía y que necesitaban un sitio donde hospedarse.

En un par de ocasiones, incluso yo llevé chicos al programa Camp. Ni siquiera eran amigos íntimos, pero sabía que la situación en sus casas era difícil y pregunté a mis padres si se podían quedar con nosotros.

«Si no te importa compartir la habitación con ellos», me respondieron.

Yo no tenía ningún inconveniente, y cuando sus padres les permitían vivir con nosotros durante una temporada, tenía compañeros de habitación nuevos.

Mis padres tenían debilidad por las personas vulnerables —en especial los jóvenes—, y deseaban ofrecerles un hogar estable que la mayoría de ellas no tenían. Lo hacían a pesar de que nuestra situación económica no era precisamente boyante.

Sin embargo, Dios siempre cubría nuestras necesidades.

Durante un tiempo tuvimos a un adolescente llamado Todd viviendo con nosotros. Todd era un chico corpulento con un gran apetito. Un día abrió la nevera y estaba casi vacía.

—Teri —le preguntó a mi madre—, ¿qué vamos a cenar?

—No te preocupes por eso —le respondió mi madre—. Ahí dentro hay comida, solo que no puedes verla.

Todd la miró extrañado y cerró la puerta.

A medida que la hora de cenar se iba acercando, mi madre reunió todo lo que encontró en la nevera y en los armarios. Cuando Todd se sentó en la mesa de la cocina, una expresión de asombro se dibujó en su rostro al ver la gran variedad de alimentos que había. Todd comió todo lo que pudo y luego se levantó, maravillado porque se hubiera materializado tanta comida con una nevera tan vacía.

Daba igual lo acostumbrados que estuviéramos a las bendiciones que Dios nos proveía, nunca dejábamos de sorprendernos. Comprendíamos de verdad que Dios siempre estaba satisfaciendo nuestras necesidades.

La batalla en mi interior

A mi madre le encanta contar la anécdota de la vez que nos regalaron un congelador repleto de hígado. Estuvimos comiendo mucho hígado durante una temporada, y mi madre recuerda haber rezado, diciendo: «Ay, Señor, solo desearía tener algo distinto para comer».

Poco tiempo después de elevar esa plegaria, leyó en el Deuteronomio el pasaje donde se recuerda a los israelitas cómo el Señor los cuidó en el desierto. Los israelitas habían protestado porque el Señor no dejaba de ofrecerles maná como alimento y se habían cansado de comer lo mismo una y otra vez.

Mientras mi madre leía, el Señor le recordó: *Te estoy proveyendo de lo que necesitas. Hago esto para probarte, para saber qué hay en tu corazón y para darte una lección de humildad. Así, cuando te encuentres en la tierra de la abundancia, no me olvidarás.*

Mi madre comprendió de pronto que Dios estaba satisfaciendo nuestras necesidades; necesidades que un norteamericano promedio daría por sentadas. Ella no había crecido en un entorno con carencias. Su familia había contado con todo lo necesario. Disfrutaban de vacaciones y se hospedaban en hoteles bonitos. No se parecía en nada a la vida que nosotros llevábamos.

Pero prácticamente desde el día en el que mi madre abrazó el cristianismo, afrontaba los momentos de necesidad con este interrogante en mente: ¿cómo sería ser misionero? Pensaba en los misioneros y en las condiciones en las que elegían vivir para comunicar el mensaje evangélico a quienes no habían recibido la salvación, y después miraba su entorno con una perspectiva de «actitud misionera». Incluso hoy en día, cuando oye que alguien describe unas circunstancias aparentemente difíciles, dibuja con los dedos unas comillas en el aire y dice «actitud misionera».

A pesar de las diferentes personas que entraban y salían de nuestro hogar, mis padres siempre tuvieron mucho cuidado en asegurarse de que nosotros, sus hijos, recibiéramos la atención parental que necesitábamos. No recuerdo haber pensado ni una sola vez que los otros niños me estaban quitando algo que yo debería haber tenido. En retrospectiva, ahora comprendo que haber vivido con niños provenientes de entornos difíciles puede que me ayudara a valorar la atención y tiempo que mis padres me dedicaban, en lugar de concentrarme en los bienes materiales que no poseía.

Aun así, en algún momento tomé algunas decisiones cuestionables como respuesta a las circunstancias que enfrentamos en nuestra infancia.

A la edad de cuatro o cinco, le había pedido a Jesús que entrara en mi corazón, y más adelante me convertí en un buen chico que asistía a la iglesia. Sin embargo, durante el instituto empecé a alejarme de ese camino.

Destacaba en los deportes, entrenaba mucho y me mantenía en forma. Cuando llegué a la edad en la que podía practicar deportes de equipo en el instituto —en especial fútbol americano— mi habilidad atlética me brindó un estatus de «popular» en el campus.

Empecé a transitar por un camino en el que quería demostrar que podía hacer lo que quisiera. Honestamente, no creo que estuviera atravesando ninguna etapa de rebeldía, porque tampoco tenía nada contra lo que rebelarme. No estaba enfadado con mis padres. No estaba enfadado con la iglesia. A pesar de que éramos pobres, no estaba enfadado contra lo que algunos llamarían «el sistema». Pero creo que después de haber crecido en un entorno humilde, convertirme en un deportista popular en el instituto hizo que quisiera probar mis límites. Creía que me había perdido algunos placeres que mis amigos habían disfrutado y que ahora era mi turno de divertirme. En realidad, me sentía inseguro e intentaba sentirme aceptado.

Terminé envuelto en una lucha interna. Sabía lo que era correcto y tenía una buena influencia en mi hogar con mis padres y en la iglesia. Pero al mismo tiempo, mi deseo de «pertenecer» al grupo tiraba de mí en la dirección opuesta.

Para satisfacer mis ansias de «ser popular», comencé a frecuentar fiestas y a ingerir alcohol. Cuando bebía, me sentía más audaz y estuve a punto de involucrarme en varias peleas. Como era uno de los chicos más fortachones de la clase, en realidad no había nadie que aceptara encararse conmigo, así que sobre todo me dedicaba a fanfarronear, sabiendo que posiblemente no tendría que demostrar mi actitud de macho. Aunque no me hubiera importado si alguien se hubiera atrevido a desafiarme.

También me valía de mi estatus y fuerza física para defender a aquellos a los que acosaban. En realidad, no me interesaba ganar la aceptación de los chicos más populares; no me encontraba entre los más «guays» del instituto y tampoco me importaba. Aun así, me rodeaba de ellos; pero como había sido un marginado durante gran parte de mi vida, siempre me mantuve atento a las oportunidades de proteger a los más pobres o a los chicos menos populares de los que se burlaban. Si alguien del grupo de los marginados estaba siendo víctima de acoso, yo intervenía y ordenaba al bravucón que lo dejara en paz, y en general me obedecía sin que tuviera la necesidad de obligarlo. Aunque no siempre obraba bien, todavía albergaba mucha bondad en mi interior.

No le di la espalda a Dios. Seguía yendo a la iglesia y cumplía con mi papel en ella. Un rasgo que admiraba de mis padres era su determinación para comportarse de la misma manera tanto en la iglesia como fuera de ella.

No perdí mi sentido del bien y el mal. Sabía la verdad. Si tenía planeado ir a una fiesta, me gustaba beber un poco antes de hacer acto de presencia para adormecer la sensación de culpa que sentía cuando estaba en la fiesta.

En la iglesia me sentía culpable por las decisiones equivocadas que estaba tomando. Le aseguraba a Dios que lo sentía y que quería cambiar. Pero a la mañana siguiente iba al instituto y quería hacer lo mismo que los demás. Quería hacer lo correcto, pero al mismo tiempo no podía resistirme a lo que sabía que estaba mal.

Era la clase de lucha interna que Pablo describe en Romanos 7:21-25:

> Así que descubro esta ley: que, cuando quiero hacer el bien, me acompaña el mal. Porque en lo íntimo de mi ser me deleito en la ley de Dios; pero me doy cuenta de que en los miembros de mi cuerpo hay otra ley, que es la ley del pecado. Esta ley lucha contra la ley de mi mente, y me tiene cautivo. ¡Soy un pobre miserable! ¿Quién me librará de este cuerpo mortal? ¡Gracias a Dios por medio de Jesucristo nuestro Señor!

Descubrí que, en mi búsqueda de diversión, solo me estaba divirtiendo «un poco». Esos momentos no eran duraderos. No podían durar porque, tal y como sabía en mi interior, la fuente de mi diversión era ajena a la voluntad de Dios. Y más tarde aprendería que la paz que sobreviene cuando uno se divierte siguiendo la voluntad del Señor es mucho, mucho mejor.

Capítulo 3

LIBERADO

Mi padre tenía una guitarra que solía tocar en casa durante los momentos de oración y devoción familiar, y con frecuencia dirigía la alabanza en la iglesia. A pesar de que su guitarra normalmente estaba a la vista de todos en casa, nunca había sentido la curiosidad de tocarla porque los deportes —en especial el fútbol americano— era lo que más me interesaba.

Sin embargo, un día, cuando tenía catorce años, pregunté a mi padre si me podía enseñar a tocar algunos acordes. Cuando me ayudó a colocar los dedos de la mano izquierda en los lugares correctos del diapasón de la guitarra y rasgueé las cuerdas con el pulgar derecho, el dulce sonido de ese único acorde sonó como una auténtica obra de arte.

«¡Esto es genial!», le dije a mi padre.

Me resulta algo difícil de explicar, pero colocar las manos sobre la guitarra me pareció algo natural. Mi padre me enseñó lo que él había aprendido por su cuenta y yo enseguida comencé a familiarizarme con los pasos básicos de tocar. La guitarra no reemplazó a los deportes, pero disfruté mucho intentando aprender a tocar canciones.

Gracias a mi habilidad para tocar de oído (la capacidad de escuchar canciones y descifrar los acordes sin la ayuda de la música escrita) empecé a tocar algunas canciones que había oído. Mis favoritas eran las que tenían un toque roquero.

En nuestro hogar no estaba permitida la música secular, pero cuando nuestros padres salían de casa, encendía la radio, sintonizaba canales de rock clásico o Top 40 y oía las canciones a todo volumen. Una vez me metí en problemas por ponerme una camiseta de Lenny Kravitz después de salir de casa. Me volví a cambiar antes de regresar, pero mi madre logró enterarse y se enfadó mucho conmigo.

«¿Cómo puedes llevar puesto algo así?», quiso saber. Comencé a tocar canciones que oía en la radio de artistas como Pearl Jam, Aerosmith y Creedence Clearwater Revival. De la música cristiana que escuchaba en casa (cuando mi madre o mi padre estaban presentes), también toqué canciones de Mylon LeFevre & Broken Heart, DeGarmo & Key y Resurrection Band.

La música formaba una parte importante de nuestro tiempo en familia. Además de las canciones que cantábamos en nuestra oración conjunta y los discos compactos religiosos que escuchábamos en casa, acudíamos a grandes festivales de música cristiana, como el Ichthus (en Kentucky) y el Cornerstone (en Illinois). Recuerdo haber asistido a un festival Cornerstone y pensar: *Estaría genial cantar en ese escenario algún día.* Aunque también era cierto que cuando veía un partido universitario o profesional de fútbol americano en la televisión me decía a mí mismo: *Estaría genial jugar en ese estadio algún día.*

Cuando me resultó más fácil aprender los elementos musicales de las canciones, comencé a notar que las letras de algunas de ellas parecían contar la historia del compositor. Me di cuenta de que la música podía ser un medio para expresar los sentimientos y emociones del artista y empecé a detectar cómo se manifestaban mis propias emociones cuando tocaba.

La primera vez que escribí la letra de mi propia canción fue durante una de esas luchas internas entre saber lo que era correcto y hacer lo incorrecto.

La canción comenzaba conmigo mirándome al espejo, viendo a una silueta cuya vida se encontraba totalmente deformada y sumida en la desesperanza, y luego le decía al Señor: «Tienes que liberarme del pecado». Incluía versos que reflejaban el momento de mi vida en el que me encontraba: «Whenever I come close to You, I turn back to sin» (Cada vez que me acerco a Ti, me alejo del pecado). La titulé «Set Me Free» (Libérame). Mis padres fueron las primeras personas a las que se la canté, justo después de haberla escrito. Ellos me escucharon y luego leyeron la letra detenidamente.

Hasta ese momento, había ocultado a mis padres mi afición por las fiestas y la bebida. Una vez, salí con un amigo y estuvimos bebiendo. A la hora de volver, él se encontraba más ebrio que yo y no estaba en condiciones de conducir. Aunque yo tampoco estaba precisamente sobrio y era demasiado joven para tener carné, conduje diez o quince minutos hasta mi casa. Cuando cruzamos la puerta, les dije a mis padres: «Estamos muy cansados. Nos vamos arriba a dormir».

Conducir hasta casa esa noche fue una de esas decisiones que me encantaría poder deshacer. Debí haber llamado a mis padres para que nos recogieran. En ese caso, las consecuencias habrían sido bastante menos graves que si me hubieran detenido conduciendo borracho y sin carné de conducir. Más adelante, mis padres me confesaron que sabían que durante esa época había estado coqueteando con el peligro, aunque no sabían hasta qué punto porque había tenido la precaución de asegurarme de que no me descubrieran.

No me estaba rebelando contra ellos, solo estaba siguiendo mis propios impulsos. Si me hubiera estado rebelando, habría querido que se enteraran de al menos algo de lo que estaba haciendo. Pero ese no era el caso porque no quería herirlos. No quería decepcionar a mis padres, ni defraudarlos.

Cuando mi madre y mi padre leyeron la letra de «Set Me Free», ambos me miraron con expresiones muy serias.

—Es bastante dura —comentó mi padre—. ¿Te encuentras bien?

¡Me han pillado!, pensé de inmediato. Intenté disimular.

—Estaba pensando en April cuando la escribí —aclaré.

Mi hermana también estaba siguiendo sus propios impulsos. Salvo que ella había ido más lejos que yo, e incluso consumió drogas durante un tiempo. Además, mis padres estaban más al tanto de lo que hacía ella que de lo que hacía yo.

—De acuerdo —respondieron mis padres. En ese momento reprimí un suspiro de alivio por haber evitado que me descubrieran.

Pero lo que no pude evitar fue el mensaje que transmitía mi primera canción.

Presionando el botón de reinicio

Al terminar mi segundo año en el instituto McCutcheon, en Lafayette, fui a un campamento de verano de una semana en California.

Mi padre había fundado la Harvest Chapel en Lafayette cuando yo tenía catorce años. Harvest es una iglesia de Calvary Chapel y forma parte de una comunidad de iglesias sin una denominación cristiana específica que tuvo sus inicios en 1965 con la Calvary Chapel en Costa Mesa, California, conducida por el pastor Chuck Smith. Como la iglesia era nueva y pequeña, todavía no se había formado un grupo juvenil, así que me uní al grupo de jóvenes de la Calvary Chapel a la que habíamos asistido en Crawfordsville, a unos cincuenta kilómetros de Lafayette. La asociación Calvary Chapels organizaba un campamento juvenil de verano en California que atraía a adolescentes de todo el país, y mi grupo juvenil participó en el campamento. Organizamos eventos para recaudar dinero para el viaje, y alguien me patrocinó para cubrir el resto de los gastos.

Con todo lo que estaba pasando en mi vida a esa edad, mi entusiasmo por ir a California de campamento tenía más que ver con el aspecto social que con el espiritual.

¿Cali?, pensé. *Qué sitio más genial para pasar el rato. ¡Por supuesto que iré!*

Yo era extrovertido como mi padre, y no tardé mucho en hacer amigos. Estaba conociendo a personas de diferentes estados, incluso algunas que habían cruzado el país de punta a punta desde Pensilvania hasta California.

Sin embargo, tampoco pasó mucho tiempo antes de que el objetivo espiritual del campamento superara todos los aspectos sociales.

Durante el servicio religioso de la primera noche del campamento, miré a mi alrededor y vi que todos levantaban las manos en oración. Había visto a los adultos, incluidos mis padres, rezar a Jesús de esa manera, pero no a muchos jóvenes de mi edad. De pronto, me di cuenta de que me encontraba entre adolescentes que amaban a Jesús de verdad y que tenían un vínculo muy sólido con Él. En mi interior, tuve que reconocer que yo no estaba experimentando lo mismo que ellos sentían.

¿Qué *he estado haciendo?*, me pregunté. *¿Qué me he estado perdiendo?*

Me invadió una sensación de vergüenza. Pensé en todos los errores que había cometido (y que había reconocido como errores), pero de los que había decidido no alejarme. Fue el impulso más fuerte hacia Dios que había sentido jamás en la lucha que se estaba desarrollando en mi interior. Quería sentir lo mismo que sin duda estaban sintiendo los que me rodeaban.

Jon Courson, ahora pastor de la Applegate Christian Fellowship en Oregón y un conocido comentarista de la Biblia, era el invitado especial. Esa primera noche nos dijo que iba a hablar del Apocalipsis. Como es de esperar, oír que un sermón va a versar sobre el Apocalipsis puede causar un atisbo de temor en la audiencia. Pero Courson nos habló de «entregarnos por completo a Dios», y lo hizo de una manera que no daba miedo, sino que transmitía todo el amor y la misericordia de Dios. Su mensaje no me llegó como una crítica del tipo «eres una mala persona», sino como un estímulo que me aseguraba que «Dios tiene mucho más planeado para ti».

Mientras escuchaba, me imaginé delante de un precipicio que representaba mi vida. Tenía dos opciones: podía dar un paso más hacia la rebeldía y caer al vacío o podía aceptar la verdad de que Dios me amaba, que tenía un plan específico para mí y después entregarme a Él.

Sentí que Dios enviaba estas palabras a mi corazón: «Quiero valerme de ti, pero estás tambaleándote en el borde. Debes correr, escapar de la tentación del mundo y regresar a Mí. Me encuentro justo aquí, esperándote».

Esa noche volví a comprometerme con Dios. De todas las formas posibles, quería seguirlo a Él en lugar de intentar ser popular y genial, y quería dejar de buscar los placeres terrenales, que no habían sido tan gratificantes como había esperado.

Tras el servicio religioso, llamé a mis padres y les hablé de mi decisión. «He abierto los ojos», les dije, «y quiero servirle a Él».

Esa noche, estaba tan entusiasmado que no pude dormir. Me quedé tumbado en la litera de la habitación y reflexioné sobre mi vida. Hasta ese momento no me había dado cuenta de todo el peso que había estado cargando sobre los hombros. Pero de pronto, ese lastre había desaparecido. Fue como salir a correr en una de esas carreras que te renueva y aumenta tu nivel de energía a pesar de que acabas de forzar tu cuerpo al máximo. Sentí que la lucha interna por fin había llegado a su fin. Ahora estaba por completo en el lado de la verdad y no había nada que me impulsara a hacer aquello que sabía que no estaba bien.

Me sentí libre de las ataduras del pecado. Cuando pecamos, creemos que somos libres porque podemos hacer lo que nos dé la gana. Pero estamos equivocados. A pesar de lo fabulosa que puede parecer esa vida, no se parece en nada a la libertad. Es una atadura, una atadura al pecado.

En general, podemos reconocer a las personas que abusan del alcohol y de las drogas porque sus cuerpos y sus rostros hablan por sí solos. No se les ve en paz. El pecado coloca una carga sobre nosotros, y esa noche me di cuenta de lo pesada que era la que yo había estado soportando. Volví a sentirme «sano».

Durante las alabanzas y el culto de la noche siguiente, alcé las manos como los demás. Estaba experimentando lo mismo que ellos, y no tardé mucho en comprender que me había estado perdiendo vivir algo que realmente valía la pena.

Los estudios de la Biblia y los servicios religiosos del resto de la semana volvieron a tener sentido para mí. Courson continuó hablando del Apocalipsis, haciendo hincapié en cómo la iglesia podía apartarse de la voluntad de Dios y destacando la importancia de que los cristianos fueran puros en sus palabras, acciones y propósitos. Mientras hablaba, yo no dejaba de pensar *Ay, ese soy yo. ¿Me está hablando directamente a mí?*

Un pasaje que estudiamos trataba de la iglesia de Laodicea. De las siete iglesias a las que el Apocalipsis hace referencia, la de Laodicea se había vuelto tibia. Había estado atravesando su propia lucha interna entre cumplir con la voluntad de Dios y satisfacer sus propios placeres terrenales. Como resultado, la iglesia se encontraba en un punto medio, una posición que la volvió tan poco atractiva ante el Señor que Él pronunció estas palabras en Apocalipsis 3:16: «Por tanto, como no eres ni frío ni caliente, sino tibio, estoy por vomitarte de mi boca».

Esa no es exactamente la imagen más agradable de la Biblia, pero la iglesia que no era ni fría ni caliente se había tornado tan poco efectiva que no era de valor para el reino de Dios. La idea del Señor vomitando a los tibios laodicenses me llamó la atención, porque yo también me había mostrado tibio con Él durante los últimos años. No había sido de valor para su reino.

Ese versículo me pareció una advertencia, pero una fundada en el amor. Sí, me había equivocado. Lo sabía. Lo sabía incluso cuando había estado haciendo lo incorrecto. Pero el tono con el que se me transmitió ese mensaje me hizo comprender cuánto me amaba Dios. Él me estaba enviando una advertencia porque me amaba y porque quería lo mejor para mí. Y al mismo tiempo, también me di cuenta de que Él quería lo mejor de mí.

De pronto, todas mis metas previas me parecieron vacías. Fue como si alguien hubiera presionado un gigantesco botón de reinicio y me hubiera embarcado en una nueva forma de vida.

Las conversaciones que mantuve con los demás durante el resto del campamento se centraron menos en enterarme de qué estados provenían y más en saber en qué estado espiritual se encontraban. Recuerdo una conversación con un amigo de nuestro grupo juvenil durante la cual charlamos sobre regresar a casa y convertirnos en ejemplos para los demás de nuestro grupo.

«Hagamos lo correcto», dijimos. «Sirvamos al Señor».

Capítulo 4

LA LLAMADA

Regresé del campamento totalmente cambiado y confesé a mis padres mi afición por la bebida y las fiestas. Justo antes de que nos fuéramos al campamento, el padre de uno de mis mejores amigos había encontrado bebidas alcohólicas en la camioneta de su hijo. Cuando mis padres se enteraron, se preguntaron si yo también habría estado bebiendo, pero debido al campamento no habían tenido la oportunidad de preguntármelo directamente.

«Sospechábamos que podrías estar haciendo algo parecido», me dijeron mis padres cuando regresé a casa, «pero nos alegra que el Señor esté obrando ahora en tu corazón».

Gracias a la decisión de volver a comprometerme que tomé en el campamento, mi corazón se encontraba justo al lado del Señor. Pero dentro de él seguía librándose una batalla.

Comencé a leer la Biblia con verdadera dedicación, y la Palabra de Dios adquirió un nuevo significado que me resultó revelador. Estudiar las Escrituras con la sensación de libertad de la que disfrutaba en ese momento hacía que pareciera que antes la había estado leyendo con un velo sobre los ojos. Pero ahora que ese velo se había levantado, las palabras saltaban desbocadas desde las páginas hasta mi corazón.

Sin embargo, a pesar del cambio que había experimentado, sabía que tendría que esforzarme para alejarme por completo de mis antiguas costumbres.

A medida que el verano llegaba a su fin, sentía una gran ansiedad ante la perspectiva de regresar a mi instituto, McCutcheon High, donde me había convertido en uno de los tipos más populares y estupendos de las fiestas. Mis antiguos amigos estarían allí, y junto con ellos la tentación de regresar a mis viejos hábitos. Sentí que Dios me decía: «Todavía no estás listo». Yo no era la persona que soy ahora, valiente y directa a la hora de compartir con amor que Jesucristo es mi Señor y Salvador. Con todas las inseguridades que tenía de adolescente, bien podría haberme desviado del camino nuevamente. La iglesia de Crawfordsville, en cuyo grupo juvenil había participado, contaba con un instituto muy pequeño llamado Maranatha Christian School, y pensé que podría ofrecerme el refugio que necesitaba en esa etapa de mi encuentro renovado con Cristo. Por supuesto, ir a un instituto privado costaría mucho dinero. Y si bien la situación económica de nuestra familia había mejorado, mis padres me habían advertido que era imposible que pudieran afrontar lo que costaría enviarme a Maranatha, incluso estando dispuestos a realizar cualquier sacrificio que estuviera en sus manos.

Llamé al instituto y pregunté si cabía la posibilidad de que me permitieran trabajar allí para pagarme los estudios. «Seré conserje o lo que necesiten», ofrecí. Las autoridades del instituto aceptaron mi propuesta.

El siguiente obstáculo era cómo me desplazaría hasta allí, ya que no teníamos un coche extra con el que pudiera ir hasta Crawfordsville. Pero un pastor que pasaba mucho tiempo en Ucrania tenía un coche que solo utilizaba cuando estaba en casa durante el verano, y me ofreció utilizarlo mientras él se encontrara fuera del país.

Sin embargo, a mis padres —probablemente solo a mi padre a esas alturas— no le pareció que cambiar de instituto fuera una buena idea.

«Confiad en mí, este año no puedo volver a mi antiguo instituto », les aseguré.

A mi padre le hacía mucha ilusión el comienzo de la próxima temporada de fútbol americano porque yo sería el corredor titular de los McCutcheon Mavericks y se esperaba que tuviéramos un gran equipo. No dejaba de intentar convencerme de que formar parte del equipo de fútbol me brindaría un canal perfecto para hablar a todos los jugadores de mi compromiso con el cristianismo.

«Pero yo no soy un líder», le dije. «Sé que no lo soy».

A pesar de mis súplicas, decidieron que siguiera en McCutcheon.

El primer día de clase no me apetecía ir para nada. Incluso vestirme fue una tarea ardua. Temía que si volvía a andar por los pasillos de ese instituto, me alejaría del camino del Señor.

Mi madre y yo nos sentamos en el salón mientras esperaba el autobús de mala gana. Mi padre, que acababa de salir de la ducha, vino a vernos.

«Jeremy», dijo, «el Señor acaba de hablarme mientras me duchaba. Me ha dicho que si tú estás diciendo que no puedes seguir en tu antiguo instituto, y que Él te ha hecho ver que necesitas ir a Maranatha, entonces tengo que dejar que cambies de centro».

Mi madre estaba encantada, y confesó que, en su corazón, sabía que lo mejor para mí era que estudiara en Maranatha. Mis padres me matricularon ese mismo día.

Me resulta difícil explicar por qué, pero tenía la certeza de que debía estudiar en ese instituto, que esa era una parte del plan que Dios había forjado para mí. Él me había brindado una forma de entrar en Maranatha; por no mencionar la manera de llegar allí con un coche prestado. Que me admitieran en ese instituto fue un momento similar a lo que se describe en Jeremías 29:11: «Porque yo sé muy bien los planes que tengo para vosotros —afirma el Señor—, planes de bienestar y no de calamidad, a fin de daros un futuro y una esperanza».

Todos los días, me quedaba una hora después de clase para limpiar los baños y pasar la aspiradora. Creo que era un conserje muy bueno, ¡y más siendo un adolescente! Mi trabajo me llenaba de orgullo y me esforzaba mucho para que esos baños y suelos quedaran relucientes.

De esa etapa aprendí que, si Dios te llama a un determinado lugar, debes hacer lo que sea necesario para responder a esa llamada. Yo hubiera hecho lo que fuera para estudiar en ese instituto.

Cuando me preguntaron si estaba dispuesto a limpiar baños, respondí: «Por supuesto».

El ejemplo de fe y compromiso que me había dado mi padre se reflejó en mi respuesta. Al principio, la iglesia que él fundó era pequeña y no se encontraba en una buena situación económica como para pagarle el salario equivalente a una jornada completa. Pero él, por supuesto, tenía que trabajar a tiempo completo. Allí estaba mi padre, con cuatro hijos que mantener, ejerciendo de pastor en una iglesia que estaba dando sus primeros pasos y que Dios lo había guiado a fundar, y trabajando en una pizzería, haciendo y entregando pizzas para llegar a fin de mes. Sabía que ese era un empleo humilde para él, pero mi padre nunca permitió que se convirtiera en algo humillante.

La hora diaria que dedicaba a limpiar inodoros y suelos también era una tarea humilde, pero nunca me sentí avergonzado o humillado como sí me había pasado con las anécdotas de los coches que nos regalaban. La diferencia estaba en que ahora yo estaba sirviendo a Dios y, en consecuencia, había cambiado por completo mi forma de ver la vida. Cuando era más joven, había tenido que lidiar con mi inseguridad porque intentaba encontrar la seguridad que me faltaba en cosas materiales. Pero cuando comencé a servir a Dios con todo mi corazón, encontré mi seguridad en Él.

Mi pensamiento era el siguiente: *Jesús me ama. Me entregaré a Él para servirle. Así que haré lo que sea necesario. Sí, limpiaré baños. No me importa.*

Nunca me había sentido más seguro que llevando un cepillo de cerdas y arrastrando una aspiradora.

Adiós al campo de fútbol

Cambiar de instituto me alejó del ambiente de fiestas al que ya no quería pertenecer. Pero también me apartó del fútbol, y eso me resultó bastante duro.

Yo tenía el objetivo viable de seguir jugando al fútbol después del instituto. Crecí jugando al fútbol, al béisbol y al baloncesto. El béisbol se me daba muy bien, ya que llevaba practicándolo desde que tenía cinco años. Sin embargo, el primer año de instituto contraje mononucleosis. Cuando pude volver a practicarlo, el entrenador me dijo: «Vas a tener que correr mucho para ponerte en forma y recuperar el tiempo que has estado inactivo».

Como sabía que la mononucleosis podía regresar si hacía un esfuerzo excesivo, le respondí que me preocupaba recaer si seguía sus indicaciones. «Lo siento», respondió el entrenador, «no es justo para tus compañeros de equipo, que han estado aquí corriendo y entrenando todos los días». Así que dejé el béisbol. Antes de que comenzara la temporada siguiente, di un buen estirón, y el entrenador quiso que regresara al equipo. En ese momento estaba atravesando una etapa en la que tenía demasiada popularidad para mi propio bien y le respondí que no me interesaba jugar en su equipo. Como si el hecho de que yo no jugara al béisbol fuera a enseñarle una lección.

Además, gracias al estirón que había dado, el fútbol comenzó a subir en mi lista de deportes favoritos. Lo jugaba desde sexto curso. Y en el segundo año de instituto tuve un rendimiento bastante bueno. Jugaba tanto de corredor como en posición de apoyo, y era rápido, fuerte y sabía cómo correr con el balón. Durante esa temporada, comencé a pensar que el fútbol podía convertirse en mi baza para acceder a la universidad.

Cuando decidí no regresar al instituto público en el penúltimo curso, fui a comunicar la decisión a mi entrenador de fútbol.

—No puedo hacerlo —le dije—. No puedo volver a este instituto.

Una expresión de conmoción se dibujó en su rostro.

—¿Por qué no? —preguntó—. Eres titular.

—Dios me ha cambiado el corazón —afirmé—. Y tengo que alejarme de esto.

Él no pareció comprender del todo mi explicación, pero le dejé claro que mi decisión era definitiva.

—Está bien —respondió.

Anteriormente dije que el instituto cristiano era «muy pequeño». Quizá debería haber dicho «muy, muy pequeño». Según recuerdo, éramos seis alumnos en secundaria. No hace falta decir que el centro no tenía equipo de fútbol ni de cualquier otro deporte.

Aunque me aliviaba haber abandonado el instituto público, echaba muchísimo de menos jugar al fútbol.

Algunas veces, mi padre y yo íbamos en coche hasta la Universidad Purdue, al este de Lafayette, y tocábamos canciones de alabanza en una pequeña plaza del campus. Los estudiantes se detenían y escuchaban durante algunos minutos, y en ocasiones nuestra música nos brindaba la oportunidad de compartir a Cristo con ellos.

Un viernes por la noche, nos dirigíamos hacia Purdue cuando pasamos junto a mi antiguo instituto. Las luces del estadio de fútbol estaban encendidas y pude divisar a los fans en las gradas y a los jugadores en el campo.

Comencé a llorar allí mismo, en el asiento del pasajero del coche de mi padre.

Él sabía cuánto echaba de menos el fútbol, y cuando vio las lágrimas cayéndome por el rostro, se acercó a mí y me colocó una mano sobre la espalda. «Jeremy, estás haciendo lo que el Señor te ha llamado a hacer. Y estoy orgulloso de ti».

Hoy en día todavía me entran ganas de llorar cuando recuerdo cómo me sentí al pasar junto al estadio y al escuchar las palabras posteriores de mi padre. Fue un momento muy intenso.

Haberme alejado del fútbol ese año fue un punto de inflexión en mi vida. Después de haber pasado algunos años siguiendo mis propios impulsos, estaba dejando a un lado mis sueños y deseos para hacer lo que Dios quería que hiciera. Y no fue nada fácil. Incluso ahora, de adulto, puede resultar difícil. Pero para servir de verdad al Señor tenemos que estar dispuestos a renunciar a cosas que amamos si estas no son compatibles con lo que Dios desea para nuestras vidas. En mi caso no había nada de malo en jugar al fútbol. No era perjudicial; era una actividad positiva. Sin embargo, un par de décadas después de recorrer el camino que Dios tenía preparado para mí, me doy cuenta de que Él tenía algo mucho mejor que el fútbol en sus planes para mi vida.

Ya que en mi instituto no podía practicar ningún deporte, empecé a dedicar más tiempo a la música. Algunos amigos y yo formamos una banda de aficionados. Tocábamos versiones de otros grupos, que seguramente no se habrían sentido muy orgullosos si nos hubieran escuchado. No recuerdo el nombre de la banda, pero sí recuerdo que cuando las cosas no nos estaban yendo bien, nos cambiamos el nombre a Temple Rising. No hicimos ningún otro cambio, solo el nombre. Y por supuesto no solucionó el motivo de nuestro fracaso.

Mis gustos musicales iban desde artistas cristianos, como Steven Curtis Chapman, hasta numerosas bandas de rock. Algunas veces, mis elecciones musicales demostraban que, si bien me había alejado lo suficiente de mis días de fiesta, todavía tenía deseos que no me beneficiaban. No quiero decir con esto que toda la música que no es cristiana es mala. Porque no es verdad. En mi caso, el problema radicaba en la actitud que había detrás de mis gustos musicales. Yo no me había liberado por completo de mi naturaleza rebelde. Todavía tenía momentos en los que ansiaba probar que podía tomar mis propias decisiones y hacer lo que quisiera.

Durante ese periodo de exploración musical, comencé a comprender más la música y probé a tocar otros géneros, el *funk* y el *reggae* incluidos. Más allá de las letras, y gracias a que era autodidacta y podía tocar de oído, adquirí una influencia musical de lo más variada.

Pero, si bien mis gustos musicales eran diversos, las canciones que escribía para nuestra banda tenían un único enfoque: mi fe creciente en Jesús. Nuestra música se convirtió en una forma de expresar lo que estaba sucediendo en mi corazón, y poco a poco mi corazón empezó a acercarse cada vez más a la música.

Ver la luz

Conforme se iba acercando el final de curso en el instituto cristiano, comencé a sentir el deseo de regresar a McCutcheon para terminar mis estudios. Quería jugar al fútbol y también poner en práctica lo que había aprendido en el plano espiritual.

Sabía que regresar al instituto público sería un desafío, pero quería enfrentarlo para saber en qué punto espiritual me encontraba. Sentía que poseía la fortaleza moral suficiente, pero todavía tenía algunos de los miedos que había albergado cuando había escogido matricularme en Maranatha.

Estaba desesperado por volver a jugar al fútbol, pero al mismo tiempo no quería pasar un año académico completo en McCutcheon. La solución fue aumentar mi carga horaria todo lo que pudiera para lograr graduarme en Navidad.

La temporada de fútbol no salió como había esperado.

En primer lugar porque, aunque todavía me encantaba ese deporte, ya no me apasionaba tanto como en el pasado. Antes del campamento en California, el fútbol había sido mi vida. Ahora mi vida se centraba en servir a Dios. Además, el año que había estado sin entrenar hizo que alcanzar la meta de jugar en la universidad se volviera mucho más difícil. No había jugado durante el tercer curso, y por lo tanto había dejado pasar el año más importante para exhibir mis habilidades a los reclutadores universitarios.

Ahora era titular en defensa, pero terminé compartiendo mi puesto favorito, el de corredor. No se esperaba que nuestro equipo tuviera una buena temporada. Por eso los entrenadores querían que las carreras las hicieran los corredores de segundo curso a fin de que pudieran ganar experiencia para cuando al equipo le fuera mejor en las siguientes temporadas. Y decían que, para compensar mi ausencia de la temporada anterior, tenía que demostrar mi valía. Pero como las oportunidades de carrera se dividían entre los corredores, me resultaba más difícil mostrarles mis habilidades. Tenía amigos que querían que yo fuera el corredor titular, y se sentaban en las gradas durante los partidos locales y cantaban: «¡El balón a Camp! ¡El balón a Camp!». Mi padre se frustró tanto después de un partido que pidió de buenas formas hablar con el entrenador.

—¿Es Jeremy más rápido que los otros corredores? —preguntó mi padre.

—Sí —respondió el entrenador.

—¿Es Jeremy más fuerte? —insistió mi padre.

—Sí.

—¿Es Jeremy el mejor corredor?

—Sí, por supuesto.

—Entonces, ¿por qué no juega más tiempo? —protestó mi padre—. ¿Tiene algo en contra de él?

—No —respondió el entrenador.

Abordar a mi entrenador de esa manera fue un comportamiento nada típico de mi padre, pero llevábamos un tiempo bastante molestos, porque mi meta era asistir a Purdue y comenzar a jugar sin una beca para luego intentar conseguir una en las siguientes temporadas. Tener una gran temporada como corredor durante el último curso en uno de los institutos locales habría aumentado mis posibilidades de lograrlo. Pero ahora, cuando rememoro esa etapa, veo que esa última temporada fue un mensaje del Señor: «Esto no es lo que tengo planeado para ti». El Señor simplemente tenía un camino distinto para mí del que yo había previsto.

El medio año que pasé en McCutcheon fue un auténtico desafío. Todavía me sentía atraído por algunos de los placeres terrenales que había disfrutado antes de volver a comprometerme con Cristo. Ya no iba a fiestas ni bebía como antaño, pero luchaba contra esos deseos en mi interior. Mis antiguos amigos seguían saliendo de fiesta, pero yo había decidido no pasar el rato con ellos. Si bien estábamos en las mismas clases y caminábamos por los mismos pasillos, parecía que vivíamos en mundos diferentes.

No conocía a ningún cristiano devoto en nuestro instituto, y eso se debía en parte a que no tenía la valentía para decir: «Ahora soy cristiano». Seguía intentando ser popular, y los deseos que todavía albergaba me hacían creer de forma equivocada que no tenía el valor suficiente para ser valiente por Cristo.

Después del instituto, cuando reuní el valor para compartir mi testimonio y cuando se me empezó a conocer como cantante y compositor de música cristiana, me encontré con antiguos compañeros de clase que me dijeron: «Oye, yo también era cristiano». Cuando recuerdo esos días, me pregunto: *¿qué estaba haciendo?* Podría haber causado un gran impacto si hubiera regresado a ese instituto en mi último curso, me hubiera puesto de pie y hubiera demostrado el coraje necesario por Cristo. Ahora, tengo una completa seguridad en mí mismo cuando me comunico con los jóvenes de hoy en día, en especial con aquellos que han experimentado una gran transformación espiritual y con los que Dios ha tenido que esforzarse más. Los incito a entrar en sus institutos y a avanzar con determinación para lograr un cambio.

Mateo 5:14-16 dice: «Vosotros sois la luz del mundo. Una ciudad en lo alto de una colina no puede esconderse. Ni se enciende una lámpara para cubrirla con un cajón. Por el contrario, se pone en la repisa para que alumbre a todos los que están en la casa. Así brille vuestra luz delante de todos, para que ellos puedan ver vuestras buenas obras y alaben a vuestro Padre que está en el cielo».

Cuando hablo a los adolescentes, les propongo que piensen en una habitación grande y oscura donde una persona enciende una luz. Luego alguien ve esa luz y enciende la propia. Y después más y más personas encienden sus luces hasta que superan a la oscuridad.

Pero hasta que una persona se pone de pie y enciende su luz, la habitación permanece sumida en las sombras, como en mi instituto. Yo no me puse de pie, ni encendí mi luz y tampoco supe de nadie que lo hiciera. La luz siempre atraviesa la oscuridad, y algunas veces lo único que hace falta es una persona valiente que cambie por completo una habitación entera.

Hora de cortar lazos

Después de terminar el último curso antes de tiempo, pasé la primavera trabajando en la línea de montaje de Lafayette Venetian Blind Company, una empresa de cortinas y persianas, mientras decidía qué hacer a continuación: estudiar Administración de Empresas y Contabilidad en Purdue e intentar jugar al fútbol o ir a al Calvary Chapel Bible College en California, una institución cristiana de educación superior en la que se imparten estudios de la Biblia y teología y se prepara a los estudiantes para el ministerio

Ahora reconozco que esa decisión fue otro tira y afloja entre lo que Dios tenía planeado para mí y mis deseos egoístas, y pasé momentos difíciles intentando elegir en qué dirección debía ir. Estaba sumido en la incertidumbre.

Mis padres podrían haberme presionado para que estudiara en el colegio bíblico y también podrían haberme convencido para que me quedara cerca de casa, en Purdue. Pero no hicieron nada de eso. No me atosigaron preguntándome: «¿Qué vas a hacer con tu vida?». En cambio, se centraron en lo que yo estaba haciendo en ese momento: ayudando en su iglesia, ejerciendo de líder de alabanzas de vez en cuando y participando en los estudios bíblicos.

«Solo sirve al Señor», decían. «Tienes un trabajo y estás sirviendo al Señor». Esa es la sabiduría que poseen mis padres. Yo solo pensaba en descifrar qué era lo que Dios quería que hiciera a continuación y a ellos solo les importaba lo que yo hacía por Dios en ese momento, y sabían que, si continuaba sirviéndole a Él, Él me revelaría cuál sería mi próximo paso.

Una noche soñé que entraba en una habitación de nuestra casa donde mi madre estaba hablando por teléfono. Entonces ella colgaba y yo le preguntaba:

—¿Quién era?

—Satán —me respondía, sin mostrar señales de alarma y hablando como si tal cosa—. ¿Tienes su número?

—Sí.

Desperté bañado en sudor frío. No tenía ni idea de lo que significaba ese sueño, pero me atemorizó que Satán se hubiera manifestado en él. No volví a soñar nada parecido, aunque el recuerdo asaltó mi mente durante dos semanas. Sabía que el sueño tenía un significado, pero no supe cuál era hasta que Dios me lo reveló a través de mi corazón: yo todavía tenía el número de Satán porque no había cortado por completo los lazos que mantenía con él. Era hora de que siguiera adelante y dejara de mirar hacia atrás. *Tengo un plan para ti*, sentí que me decía el Señor, *y quiero que te sumerjas en mi Palabra*.

Ahí estaba la respuesta, clara como el agua: la voluntad de Dios era que estudiara en el colegio bíblico.

Capítulo 5

VIAJE AL OESTE

Una camiseta fue la artífice de que pudiera mudarme a California para estudiar en el colegio bíblico. Cuando mi padre abrazó el cristianismo, el Espíritu Santo obró una transformación inmediata y radical en su vida. Tras recobrar la sobriedad la noche en la que la iglesia de las Asambleas de Dios lo salvó, dejó el alcohol para siempre. Así de simple.

Siguió teniendo la misma personalidad extrovertida, pero cuando se complementó con su corazón renovado, comenzó a relacionarse con las personas de una manera diferente. Mi padre amaba a Jesús y aprovechaba cualquier oportunidad para hablar de Él a todo el mundo.

Un día, mi padre fue a un gimnasio vestido con una de esas camisetas que rezaban «God's Gym» (gimnasio de Dios) y que imitaba el logotipo de la famosa cadena de gimnasios Gold's Gym. Recuerdo que algunas personas consideraban que las camisetas God's Gym eran un tanto cursis, pero a mi padre no le preocupaba demasiado lo que la gente pensara de su vestimenta.

Como era de esperar, un hombre del gimnasio se le acercó y le dijo: «Me gusta tu camiseta».

El hombre se presentó como Keith March. Era médico y ambos congeniaron enseguida porque a él le agradó la valentía de mi padre a la hora de exhibir su fe. Se hicieron amigos y, con los años, el doctor March terminó ayudando a nuestra familia y a nuestra iglesia.

En una ocasión, cuando el doctor March se enteró de que no teníamos ningún equipo de música en casa, nos regaló un reproductor de CD. También llevó a nuestra familia y a la suya a un concierto de Newsboys, y luego nos invitó a mi padre y a mí a ir con él y su hijo a Colorado, a un encuentro de Promise Keepers, una organización cristiana para hombres. Y no solo eso, también ayudó a nuestra iglesia a cubrir diferentes necesidades. Ser testigo de la generosidad sincera del doctor March causó un gran impacto en esa etapa de mi vida.

Cuando el doctor March se enteró de que yo quería estudiar en el colegio bíblico, se ofreció a pagarme el primer semestre. Yo me quedé impresionado. El Calvary Chapel Bible College (CCBC, por sus siglas en inglés) tenía una estructura diferente a la de las universidades tradicionales. Las universidades privadas pueden llegar a ser muy caras, pero Calvary Chapel estaba organizada de para minimizar los costes lo máximo posible.

En primer lugar, el colegio contaba con un programa de dos años. (Ahora ha agregado programas de cuatro). En segundo lugar, no era una universidad acreditada, lo que le permitía contratar pastores que quizá no tuvieran los títulos necesarios para enseñar en una universidad acreditada, pero que contaban con la experiencia y el conocimiento para formar estudiantes para el ministerio pastoral.

A pesar de que los gastos serían menores comparados con los de otros colegios bíblicos, sabía que necesitaría de la ayuda de Dios y de mi trabajo arduo para pagarme los estudios. Había ahorrado lo que había podido gracias a lo que había ganado en la empresa de cortinas y a otros empleos anteriores, pero no era mucho. Iba a tener que trabajar mientras estudiaba.

Gracias a que el doctor March me financió el primer semestre pude empezar a estudiar sin presiones económicas y, además, me permitió ahorrar algo de dinero para los siguientes semestres consiguiendo algunos trabajos en California El doctor March fue otra de las bendiciones que Dios trajo a mi vida y a mi familia.

Comencé en el colegio bíblico en el otoño de 1996, muy ilusionado por estar allí. Para mí era importante estudiar en una institución cristiana porque creía que necesitaba algo de tiempo para alejarme de los placeres terrenales de los que me había rodeado durante el instituto.

En Salmos 24:4 se describe a la persona que se encuentra en el lugar sagrado del Señor como «de manos limpias y corazón puro, el que no adora ídolos vanos, ni jura por dioses falsos». Yo quería ser esa persona de manos limpias y corazón puro, alguien que marcara la diferencia, tan dedicado a la búsqueda de Dios que ni sus propios deseos o placeres terrenales pudieran desviarle del camino.

Estaba seguro de que había recibido una llamada para ejercer el ministerio, aunque no sabía de qué clase. Me gustaba tocar la guitarra y liderar la alabanza en la iglesia de mi padre, y escribir canciones de vez en cuando me brindaba la posibilidad no solo de dejar salir mi creatividad, sino de expresar mis emociones y mi fe. Pero todavía no pensaba que la música pudiera ser mi ministerio.

Lo que sí sabía con certeza era que quería ahondar en la Palabra del Señor. No solo deseaba leer las Escrituras y decir: «Qué interesante». Quería entender lo que estaba leyendo. Quería escoger un pasaje, analizarlo y decir: «Muy bien, ahora mismo comprendo solo esto. Pero voy a reflexionar sobre estas palabras y a preguntarme: "¿Qué es lo que de verdad está transmitiendo este pasaje a mi corazón?"».

Experimentar de forma auténtica una fe transformadora en Jesús significa extraer Su Palabra de las páginas de la Biblia y permitir que se asiente en nuestro corazón para dirigir nuestras acciones.

Así que leía y me preguntaba: «¿Qué estás diciendo, Señor?». Algunas veces oraba: «¿A qué quieres te refieres con esto?». Luego meditaba sobre el pasaje. Mi deseo era poner en práctica Filipenses 4:8: «Por último, hermanos, considerad bien todo lo verdadero, todo lo respetable, todo lo justo, todo lo puro, todo lo amable, todo lo digno de admiración, en fin, todo lo que sea excelente o merezca elogio».

Si un pensamiento no cumplía con los requisitos de la lista de Pablo, no quería darle prioridad en mi mente.

Luego quería dar el siguiente paso de vivir según las Escrituras. La Palabra de Dios es viva y activa[2]. Cuando la estudiamos de verdad y meditamos sobre ella, provoca algo en nuestro interior. Yo escogí un plan simple: abrir la Biblia en el Génesis y leer hasta el Apocalipsis. El CCBC ponía mucho énfasis en las clases sobre la Biblia. Desde el comienzo del primer semestre supe que el estudio exhaustivo que hacíamos en el aula debía acompañar a lo que deseaba aprender en mi tiempo privado de devoción. En las clases, absorbí el conocimiento como una esponja.

Ahondar en la Palabra

Cuando llevaba menos de un mes estudiando, experimenté un momento de inflexión. Estábamos estudiando el Evangelio según Juan, y el profesor, el pastor Chuck Wooley, estaba hablando sobre Jesús, Su amor, y la necesidad de entregarnos a la devoción y limpiar nuestros corazones.

El pastor Wooley era un docente increíble, pero cuánto más hablaba sobre limpiar nuestros corazones, más emociones se acumulaban en mi interior. Estaba famélico a nivel espiritual y necesitaba esa purificación de la que él había estado hablando.

Sucedió durante una de las clases nocturnas, la última del día. El campus del CCBC ahora se encuentra en Murrieta, California. Pero durante mi primer semestre, estaba situado en Big Bear, también en California, una zona preciosa en las montañas al noroeste de San Bernardino. Allí arriba, en las montañas, podía respirar hondo y aspirar el aroma relajante de los pinos de alrededor.

El campus era pequeño (éramos unos quinientos estudiantes), y el templo se encontraba en un centro de retiro que se parecía a una cabaña. Escogí un lugar en el fondo, me senté y comencé a sollozar. Lloré durante casi dos horas seguidas, con la cabeza enterrada en las manos la mayor parte del tiempo.

Tenía que ser todo un espectáculo. No estaba sentado en una butaca, sino sobre el respaldo, con los pies apoyados sobre la parte acolchada del asiento. Era un joven corpulento, debido a los entrenamientos, y como había tan pocos estudiantes inscritos, todos sabían que había llegado a California procedente de Indiana. Por aquel entonces llevaba el cabello largo recogido en una coleta y me había rapado los costados de la cabeza.

No hace falta decir que, por mi aspecto, destacaba en el CCBC. Así que imaginaos al tipo corpulento y extrovertido del Medio Oeste, con un corte de pelo absurdo, llorando sin parar.

Había otros estudiantes en el templo, pero no me importó. Cuando me preguntaban si estaba bien, yo levantaba la cabeza y respondía: «Dios se está ocupando de mí». Luego volvía a enterrar las manos en la cabeza y continuaba llorando.

En su libro, el profeta Ezequiel describe cómo Dios entregó al pueblo de Israel un corazón y un espíritu nuevos[3]. Cuando las lágrimas pararon y me puse a reflexionar sobre lo que acababa de suceder en el respaldo de esa butaca, sentí que Dios me había entregado un corazón nuevo y también me había infundido un espíritu nuevo.

No es que mi corazón escondiera una maldad terrible. Yo era cristiano, vivía como tal y deseaba forjar una relación aún más cercana con Cristo. Pero todavía acumulaba muchas cosas innecesarias en mi interior.

La mejor forma para describir lo que sucedió sería comparar mi corazón con un vestidor que necesita una limpieza exhaustiva. En primer lugar haces un inventario de lo que deberías dejar, luego descartas algunas cosas o reacomodas los elementos que vas a conservar. Limpias el suelo para poder volver a entrar en él y, cuando terminas la tarea, estás exhausto porque eres consciente de que has organizado todo de arriba abajo, pero cuando te paras en la entrada y contemplas lo que parece un nuevo vestidor, sabes que ha merecido la pena.

En ese momento, deseé que Dios tuviera esa misma sensación cuando miró mi corazón mientras me alejaba de esa butaca. Yo estaba encantado por lo que había sucedido. Me había liberado de tanta inmundicia. Me había hartado de toda esa basura que seguía merodeando en mi interior. De hecho, la odiaba. Había querido dedicarme a Dios, pero la incapacidad de deshacerme de todos esos deseos egoístas se había convertido en un gran obstáculo.

A partir de ahí, corrí a toda velocidad hacia Dios.

Uno de los cambios que noté de inmediato fue la compasión que comencé a sentir hacia los demás. Siempre había sido una persona respetuosa y amable porque así me habían criado mis padres. Sin embargo, eso no es lo mismo que tener un corazón que sufre por el resto. Ese sufrimiento proviene de la compasión. Cuando dejamos que Cristo nos permita ver a los demás como él los ve, somos capaces de detectar más situaciones que nos rodean donde se necesita la esperanza de Cristo. No solo sentimos empatía por aquellas personas, sino también compasión.

No era que tuviera que cambiar para agradar a la gente o para que buscaran mi compañía. Necesitaba cambiar para que Dios pudiera obrar en mí como yo quería que Él lo hiciera, y como Él quería hacerlo. No tenía que cambiar para mi propio beneficio. Necesitaba cambiar para el beneficio de otros y para la gloria de Dios.

Mi amor por los demás aumentó de manera exponencial.

Cuando veía a alguien sentado en algún banco del campus que parecía deprimido o angustiado, se me encogía el corazón. Sentía algo en mi interior que me impulsaba acercarme a esa persona y decirle que Jesús lo amaba, que había esperanza en Cristo y que Dios le tenía deparado un futuro. Compartir el amor y la esperanza de Jesús se convirtió en un objetivo personal. Y ese objetivo no nació del mero conocimiento que había aprendido en un aula; yo mismo había experimentado Su presencia en el respaldo de aquella butaca.

Cuando volví a casa, en Indiana, me disculpé con mi hermano Jared y le pedí perdón por no haber sido un hermano mejor. Jared era ocho años menor que yo, y es probable que esa diferencia de edad no nos hubiera permitido estar tan unidos como deberíamos haber estado. Además, éramos polos opuestos. Él era más reservado, como mi madre. Yo era más irreflexivo, como mi padre.

Cuando empecé a ser más empático con los demás, me di cuenta de que no había sido el hermano mayor ejemplar que Jared se merecía. Le pedí perdón y él respondió con un amable: «Ah, no te preocupes». (Eso también lo heredó de mi madre). Pero sabía que le había fallado. Sabía que había perdido la oportunidad de ser el hermano mayor cercano que él necesitaba y de influir positivamente en su vida.

En el colegio bíblico me sentí más cerca de Jesús de lo que me había sentido en toda mi vida. Los momentos de oración (tanto individuales como grupales con los estudiantes) eran increíbles. Durante los servicios en la capilla, la alabanza me recordaba la intensa emoción que sentí durante la primera noche en el campamento de verano. Excepto que ahora me había convertido en una parte activa de esa experiencia de adoración y ya no era un mero testigo. Manteníamos conversaciones maravillosas en el campus. Compartíamos nuestras necesidades y rezábamos juntos. Celebrábamos lo que Dios obraba en nuestras vidas porque todos sentíamos un profundo interés por el otro. Conversábamos sobre nuestras infancias y caminos espirituales.

Nuestro alumnado estaba compuesto por una amplia variedad de personas de diferente procedencia, desde las que acababan de abrazar el cristianismo, repletas de pasión y fervor, hasta las más experimentadas que contaban con un conocimiento exhaustivo de las Escrituras. La unión de todas esas distintas experiencias de vida y las perspectivas diferentes que cada uno de nosotros traía consigo nos permitió formular preguntas difíciles sobre la Palabra de Dios y ahondar en el significado de las Escrituras. A medida que aprendía cada vez más sobre mis compañeros, sentía que podría afrontar con ellos cualquier vicisitud que nos deparara la vida.

Durante el tiempo que pasaba a solas, salía a caminar por la montaña, rezaba y cantaba al Señor: «Gracias, Señor» o «Alabado seas, Señor». ¡Y me sentía como si estuviera en compañía de Jesús!

Aprender a liderar

Si tuviera que utilizar las palabras que Jesús empleó en su parábola sobre el constructor prudente que construyó su casa sobre la roca y el insensato que lo hizo sobre la arena[4], diría que los cimientos sobre los que descansaba mi vida cuando comencé a estudiar en el CCBC estaban hechos en parte de roca y en parte de arena. Y creo que esos cimientos inestables fueron una de las razones por las cuales no me sentía preparado para regresar al instituto público tras el compromiso renovado que contraje en el campamento de verano.

Las clases sobre la Biblia en el CCBC sin duda fortalecieron esos cimientos. Estudiábamos la mayoría de los libros de la Biblia y hacíamos hincapié en los que profundizaban en la teología, como Hebreos, Romanos e Isaías, por nombrar algunos. Además de las explicaciones de nuestros profesores, también escuchábamos lo que llamamos «las cintas de Chuck». El pastor Chuck Smith, quien dio inicio al movimiento Calvary

Chapel, era un excelente maestro de la Palabra, y escuchábamos grabaciones suyas que enseñaban versículo tras versículo. En clase, tomaba notas detalladas de lo que estaba aprendiendo de las Escrituras, y cuando estudiaba la Biblia solo, resaltaba textos, subrayaba palabras clave y escribía notas en los márgenes. Capítulo tras capítulo, construía cimientos cada vez más sólidos y completos sobre los que erigir el resto de mi vida.

En el plano musical, tocaba la guitarra y cantaba en mi habitación o, algunas veces, en la cafetería, pero todavía no consideraba ejercer el ministerio a través de la música. Lo único que quería era aprender sobre la Palabra de Dios. Un día, estaba tocando algunos acordes con la guitarra en la cafetería cuando alguien me preguntó:

—¿Tocas?

—Sí.

—Toca una canción —pidió él.

Lo hice, y cuando terminé, exclamó:

—¡Vaya!

—Deberías liderar la alabanza en la capilla —comentó otra persona.

—Sí —asentí—. Me encantaría.

La primera vez que lideré la alabanza en la capilla me puse muy nervioso. Liderar la alabanza, o lo que es lo mismo, llevar a la congregación a la presencia de Dios a través de la música, es como mirar un concurso en la televisión: parece muy fácil hasta que te toca. Ahora me siento cómodo y me muestro extrovertido en el escenario, pero esa primera vez al frente del servicio me invadió la timidez. Me preocupaba tanto parecer arrogante que fui al otro extremo. Estaba dirigiendo la alabanza, pero de una manera muy introvertida.

Aun así, durante mi primera alabanza en el CCBC, pensé *¡guau, me lo estoy pasando en grande!*

Yo había dirigido la alabanza en la iglesia de mi padre y en los grupos de estudio de la Biblia en casa, pero mi corazón había cambiado tanto desde entonces, que por primera vez sentí que estaba ejerciendo el ministerio o usando de verdad el talento que me había concedido el Señor, y que Él se estaba valiendo de mí. ¡Estaba completamente emocionado!

Después de esa primera vez en la capilla, me pidieron que dirigiera la alabanza dos veces por semana en el CCBC, y luego recibí invitaciones para liderar o cantar un par de canciones en iglesias de la zona. Cada vez que lo hacía me ponía nervioso porque temía echar todo a perder.

Si os soy sincero, aunque había dirigido la alabanza en Indiana, en realidad no sabía cómo ser un líder de la alabanza. No recuerdo cuánto tardé en aprenderlo, pero llegó un momento en el que me dije: *Mira, es lo mismo que haces cuando estás entre los feligreses, solo que ahora tú serás el que los guíe.*

Aprendí que un líder de la alabanza guía alabando. Si como líder, tu mayor preocupación es asegurarte de contentar a todas las personas de la audiencia, entonces estarás pasando por alto la importancia del momento de adoración. Decidí que, cuando liderara, alabaría a Jesús. Y eso es lo que hice, y los demás lo alabaron conmigo. Guiar a la congregación en la alabanza fue una experiencia increíble.

No tenía una guitarra propia, así que cuando lideraba, cantaba en una iglesia o tocaba en mi tiempo libre se la tenía que pedir prestada a un amigo.

Después de que el doctor March me costeara el primer semestre, pagué el segundo trabajando en Staples, organizando material de oficina. Durante las vacaciones de verano posteriores al segundo semestre, conseguí un trabajo en la construcción que me ayudó a afrontar económicamente el tercer semestre. Era lo menos que podía hacer para pagarme los estudios, así que ni me planteaba comprarme una guitarra.

Ni siquiera tenía claro si podría terminar los dos años del programa porque no tenía el dinero suficiente para pagar el cuarto semestre. Pero como había trabajado mientras iba a clase y durante el verano, el colegio me ofreció un plan de pago que me permitiría cursar el último semestre y luego recibir el título una vez que hubiera pagado toda la matrícula y las cuotas.

Las oportunidades de ejercer el ministerio a través de la música se volvieron más frecuentes. Los estudiantes me invitaban a cantar en sus iglesias con sus grupos juveniles o en los servicios principales. También formaba parte de una banda con otros estudiantes, y de vez en cuando liderábamos la alabanza y ofrecíamos recitales en el colegio bíblico. Eso nos permitió tocar canciones que habíamos escrito cada uno.

En aquel entonces, nunca había tomado la decisión consciente de escribir una canción hasta el punto sentarme a la mesa y ponerme a ello. Mis canciones se inspiraban en mi relación con el Señor, se basaban en algo que Él había obrado en mi corazón o en algo que yo había leído y me había impulsado a reflexionar sobre Él. Lo bueno es que, cuando leo las canciones que escribí entonces, veo que Dios me estaba hablando. En una canción titulada «Looking Back» (Mirando hacia atrás), el estribillo dice:

The cross on which You've hung / La cruz en la que te han colgado
Is not a place for a king to be / No es un lugar para un rey
Lord, the wounds that stung, You did it all for, / Señor, el dolor de tus heridas, todo lo que hiciste,
You did it all for me / Lo hiciste por mí.

La canción surgió en un momento en el que quería escapar de mi propio egoísmo y valorar el hecho de que Jesucristo había dado su vida por mí. Escribir canciones se convirtió en un ciclo que se retroalimentaba: componía letras sobre mis reflexiones, y eso, a su vez, me permitía meditar con mayor profundidad sobre lo que estaba escribiendo. Era como si mi relación con el Señor, cada vez más intensa, estuviera conduciéndome a formar un vínculo aún más indisoluble con Él.

Capítulo 6

EL REGALO

Cuando terminé mis estudios, decidí quedarme en California y continuar trabajando en una cadena de supermercados, guardando en bolsas la compra de los clientes, para pagar las cuotas que me quedaban del colegio bíblico. Hacia el final del verano, mis amigos y yo decidimos disolver la banda, así que comencé a pasar mucho tiempo con otros amigos músicos del colegio y de la Calvary Chapel Vista, una iglesia evangélica cerca de San Diego, que estaba a una media hora de distancia del CCBC. Nos reuníamos a tocar música y yo ayudaba a liderar la alabanza para los servicios de los grupos juveniles del colegio y de la iglesia.

Ese otoño, Jean-Luc Lajoie, del grupo The Kry, visitó nuestra ciudad en busca de músicos para formar una banda juvenil para Harvest Crusades. Alguien le había recomendado a Jean-Luc que me escuchara tocar, así que vino una noche a ver nuestro ensayo.

Después de los ensayos, Jean-Luc habló conmigo durante unos minutos, dijo que le había gustado una canción que habíamos tocado y que yo había escrito, hizo algunos comentarios sobre la idea que se había hecho de mí y me contó sus planes para su nueva banda juvenil. También comentó que estaba interesado en hablar conmigo para ver si quería unirme a la banda y sugirió que ambos meditáramos sobre el asunto antes de volver a vernos para seguir tratando el tema.

Jean-Luc me gustó desde el principio y poco a poco empezamos a pasar más tiempo juntos. Era evidente que él sentía un profundo amor por Jesús y, a pesar de que The Kry era muy popular (eran muy conocidos a nivel nacional, pero en ese momento eran *la* banda de California), Jean-Luc era un tipo con los pies sobre la tierra. Cuando sus planes de formar la banda juvenil fueron concretándose, me invitó a unirme a ella. Le dije a Jean-Luc que me lo pensaría.

Aquellos primeros días de incertidumbre después de terminar los estudios en el colegio bíblico se asemejaron un poco a los días en los que me debatía sobre estudiar en el colegio bíblico o intentar jugar al fútbol en Purdue. Pero con una diferencia notable. Antes, la elección se reducía a seguir la voluntad de Dios (colegio bíblico) o la mía propia (fútbol). Y ahora todas las opciones estaban relacionadas con el ministerio pastoral. No existía un conflicto claro entre el camino de Dios o el mío.

En ese momento, la iglesia que mi padre había fundado en Lafayette tenía cinco años de antigüedad, y él siempre me estaba recordando lo feliz que le haría si volvía a casa y trabajaba con él codo con codo liderando la alabanza. Pero también me impulsaba a seguir la voluntad de Dios en mi camino, y si Dios me quería en cualquier otro sitio que no fuera su iglesia, entonces también me apoyaría.

En algún momento durante esa época, me pregunté si me había equivocado. Un sábado por la tarde me puse a ver un partido de fútbol universitario en la televisión. El jugador que debería haber sido mi suplente como corredor si yo hubiera jugado el tercer año de instituto se encontraba en el campo y anotó un *touchdown* e hizo una carrera de más de noventa metros. Estaba jugando de manera asombrosa en un partido transmitido a nivel nacional, mientras que yo trabajaba en un supermercado y, aunque se me habían presentado un par de oportunidades en el plano musical, aún no me ganaba la vida tocando.

Ese podría haber sido yo jugando un partido de fútbol televisado, pensé.

Pero luego recordé las palabras que mi padre me había dicho tres años antes, un viernes por la noche, cuando pasamos con el coche junto al campo de fútbol del instituto en donde yo podría haber estado jugando: «Estás haciendo lo que el Señor te ha llamado a hacer».

Poco tiempo después de haber visto jugar en la televisión a mi antiguo compañero de equipo, tuve la oportunidad de tocar y cantar en un campamento. La paga que recibí superó con creces cualquier otra cantidad que había recibido por tocar y me permitió saldar la deuda con el CCBC. Gracias a ello, pude dejar el trabajo en el supermercado en diciembre de 1998, me mudé del lugar donde había estado viviendo con un amigo y sus abuelos en Oceanside y regresé a Indiana sin saber si me quedaría en casa para siempre o regresaría a California.

En ese momento crucial de mi vida, mantuve conversaciones muy serias con mis padres sobre las opciones que tenía y sobre qué era lo que Dios quería para mí. Como siempre, mi madre me señaló pasajes de las Escrituras que describían la situación por la que estaba atravesando. Mi padre sabía que me enfrentaba a una decisión muy importante, así que propuso que ambos nos fuéramos unos días a la cabaña de un amigo para poder reflexionar y rezar.

Pasé unos días muy especiales con mi padre. No había dispositivos electrónicos en la cabaña. No teníamos teléfonos móviles. Ayunábamos y rezábamos juntos, y pasamos el tiempo pescando y hablando. Todavía recuerdo la profunda paz que se respiraba en aquel lugar. En mis oraciones, le dije a Dios que no quería revivir mis antiguas luchas internas. No quería seguir mis propios impulsos, como había hecho en el pasado. Le dije que haría lo que fuera que Él me tuviera deparado.

Mientras estábamos en esa cabaña, sentí que Dios le hablaba a mi corazón y me decía que quería que yo regresara a la costa oeste.

¿Estás seguro?, le pregunté. *Ya me he mudado una vez. Estoy listo para servirte aquí en Harvest. ¿De verdad quieres que regrese a California sin trabajo y sin un techo bajo el que vivir?*

Sí, en los momentos que pasaba a solas, tenía la certeza de que Dios quería que regresara a California. Creía que Dios tenía un plan y que Él me daría todo lo que necesitara para seguir Su camino.

Comunicárselo a mi padre no fue una tarea fácil. Durante el trayecto de regreso a casa, le di la noticia.

Sé que tuvo que costarle mucho digerirla. Me imagino lo emocionante que debe de ser para un padre tener a su hijo a su lado en el ministerio y darse cuenta de que eso no iba a suceder. Le pedí disculpas y me dijo que lo comprendía.

Una vez en casa, volví a hablar con mis padres sobre mi decisión. Ambos estuvieron de acuerdo en que estaba haciendo lo correcto.

Una Navidad para recordar

Me quedé en Indiana a pasar la Navidad. Nuestra familia se reunió en la mañana de Navidad y April y su esposo, Trent, nos acompañaron. Nuestros padres tenían la costumbre de elegir a uno de nosotros para que repartiera los regalos y ese año me tocó a mí.

Entregué todos los regalos excepto el más grande, que estaba escondido detrás del árbol. No tenía escrito ningún nombre en el envoltorio.

—¿De quién es este? —pregunté.

—Tuyo —respondió mi madre.

No tenía ni idea de lo que era, pero comencé a desenvolverlo. Y mientras lo hacía, me di cuenta de que todos se habían quedado inmóviles para observarme.

En cuanto quité el papel y vi la caja supe que era una guitarra. Y no una cualquiera, sino una Taylor, ¡un instrumento que costaba unos dos mil dólares!

Me quedé estupefacto. Nunca había pedido tener una Taylor. Ni siquiera me había permitido soñar con comprarme una. Pedirla habría significado querer un regalo veinte veces más caro que el mayor presente que hubiera recibido en la vida, así que desenvolver el paquete y encontrarme con una guitarra Taylor fue más de lo que me había atrevido a esperar jamás.

Se me llenaron los ojos de lágrimas, y los demás también comenzaron a llorar. Recuerdo las palabras que acudieron a mi mente mientras contemplaba el regalo atónito: *Señor, haz lo que quieras de mí. No son mis planes, sino los Tuyos. Aquí me tienes.*

Al tocar mi nuevo instrumento, sentí crecer las expectativas. Aunque nunca creí que pudiera ganarme la vida solo con la música, empecé a darme cuenta de que Dios me había otorgado un don. El regalo de mis padres era una afirmación concreta de que debía entregar por completo ese don a Dios. ¡Y ahora no tendría que pedir prestada la guitarra a ningún amigo para ponerlo en práctica!

Antes de Navidad, le había confesado a mi madre que necesitaba tener una guitarra. Jean-Luc me había dicho que tenía que conseguir una porque era la única persona que conocía que pedía prestadas guitarras para tocar en iglesias. Pero le dije a mi madre que no tenía ni idea de cómo podría pagarla.

«Lo sé, lo sé», respondió mi madre, sin revelar que ella y mi padre ya me habían comprado una.

Mis padres sabían por nuestras conversaciones telefónicas lo mucho que me gustaba liderar la alabanza en el colegio bíblico y en las iglesias. Sentían que Dios estaba utilizando la música para obrar en mi vida y a través de ella.

Un día, mientras mi madre estaba lavando los platos, tuvo una especie de epifanía: mi padre y ella tenían que comprarme una guitarra, aunque no tuvieran el dinero suficiente. Por lo visto mi padre también había tenido el mismo pensamiento.

Así que decidieron pedir un préstamo para comprar la Taylor. Consideraron que la compra era una inversión para mi futuro espiritual. Pero antes de firmar el préstamo, preguntaron a mi hermana y hermanos si les parecía bien que me regalaran la guitarra. Explicaron a April, Jared y Josh que no podían pagarles unos regalos tan caros como ese y que ese año los suyos serían mucho más baratos que el mío. Pero mis hermanos se alegraron mucho porque sabían lo que una guitarra significaría para mí, así que dieron a mis padres el visto bueno para seguir adelante con el plan.

En el vuelo de regreso a California, tenía claro que no facturaría mi posesión más preciada como equipaje. Mi «pequeña» viajaría conmigo.

Cuando subí al avión y vi que los compartimentos superiores estaban comenzando a llenarse, me puse un poco paranoico y dije a una azafata: «No puedo poner esto en ningún otro lugar que no sea el portaequipajes». Si la aerolínea me lo hubiera permitido, me habría quedado de pie en el pasillo durante todo el vuelo y habría colocado mi guitarra en el asiento, con el cinturón de seguridad puesto. La azafata fue muy amable y comprensiva y me ayudó a encontrar un lugar seguro donde guardar mi tesoro.

Aterricé en California con una bolsa de viaje y mi guitarra. No tenía trabajo, no tenía un lugar donde vivir y no tenía un plan, aparte de que mi amigo Bryan vendría a recogerme al aeropuerto y me llevaría a una conferencia de jóvenes pastores en el CCBC.

Durante la conferencia, me encontré con un amigo llamado Isaiah Thompson, a quien había conocido en la Calvary Chapel Vista.

—Eh, colega, he oído que necesitas un lugar donde quedarte —dijo Isaiah. No sé cómo se había enterado de eso. (¡Quizás el compañero del colegio bíblico que me había dejado dormir en su habitación estaba diciendo por ahí que necesitaba alojamiento!)

—Así es —respondí.

Isaiah me dijo que su abuela, que vivía en Vista, estaba buscando a alguien a quien pudiera alojar a cambio de cuidarla, hacerle las compras, llevarla al médico y encargarse de otros recados.

Como en ese momento no tenía otras opciones, acepté la oferta de la abuela Marge a través de su nieto.

Al día siguiente, el pastor de mi grupo juvenil, Dave Hole, me llevó a la casa de la abuela Marge. Cuando nos detuvimos en la dirección que Isaiah me había dado, le dije a Dave:

—Creo que es aquí.

—¿Me estás diciendo que nunca has estado en este lugar? —preguntó Dave—. ¿Que no conoces de nada a esta señora?

—No, pero supongo que es aquí donde voy a quedarme.

La siguiente etapa

Golpeé con los nudillos la puerta de entrada, y me recibió una mujer sonriente de cabello gris con el típico aspecto de abuela.

—Hola, ¿Marge? Soy Jeremy— me presenté—. Por lo visto voy a vivir con usted.

—Ah, tienes unos ojos preciosos— respondió la abuela—. ¡Entra!

Marge me condujo hacia su rincón del desayuno, donde nos sentamos a la mesa y empezamos a conocernos. Me pidió que le hablara de mí, así que le conté cómo había sido crecer en Indiana, mudarme a California para estudiar en el colegio bíblico, tocar música y regresar a casa para sentir que Dios quería que volviera a California, aunque no tuviera un lugar donde vivir.

Marge me habló de su esposo, que había servido en el ejército y había fallecido algunos años atrás. También compartió conmigo detalles sobre sus creencias, y mientras relataba algunas de las experiencias a las que había tenido que enfrentarse en la vida y que habían puesto a prueba, a la vez que fortalecido su fe, sentí la determinación de su corazón. Nuestra conversación también tuvo un toque de tristeza, porque era evidente que echaba de menos a su marido. Sin embargo, no dejó de sonreír en ningún momento.

—Déjame enseñarte tu habitación —dijo después de una hora—. Si quieres salir a comprar mañana algo de comida, aquí tienes mi tarjeta de crédito.

Dejé la guitarra y la única bolsa de viaje que había traído conmigo en el suelo de la habitación. Cuando Marge se retiró, me senté en la cama y respiré hondo. Solo había necesitado un viaje a mi habitación para llevar todas mis pertenencias, y ni siquiera había ido muy cargado. Tenía menos de veinte dólares en la cuenta del banco. Tenía un teléfono, pero no un coche.

Muy bien, Señor, pensé. *Aquí estoy.* ¿Qué *hago ahora?*

Llamé a Jean-Luc para contarle que estaba en la ciudad, y él me informó de que la banda juvenil que había querido formar no había funcionado. Pero como habíamos congeniado muy bien desde el momento en el que nos conocimos, seguimos en contacto y nos veíamos de tanto en tanto.

Un día, Jean-Luc me llamó y me preguntó si quería ayudarlo a vender el *merchandising* de The Kry en un concierto. Esa noche me abrió las puertas para seguir haciendo lo mismo en posteriores eventos. Jean-Luc y su hermano, Yves, me daban algo de dinero por ayudarlos. Cada billete significaba mucho para mí.

Sin embargo, lo que me resultó mucho más útil que el dinero fue la relación que construí con Jean-Luc e Yves. Estar con ellos me permitió descubrir cuánta integridad tenían tanto dentro como fuera del escenario.

Jean-Luc era muy directo conmigo y me hacía preguntas como: «¿Sigues siendo fiel a la Palabra?», «¿Has estado rezando?» o «¿Qué te ha enseñado Dios últimamente?». Yo necesitaba esa franqueza para mantenerme en el rumbo correcto. Sabía que Jean-Luc estaría pendiente de mí, y esa anticipación me ayudaba a mantener la disciplina con mis hábitos espirituales.

Había una pregunta que él me hacía constantemente y que todavía nos seguimos haciendo: «¿Sigues pasando tiempo en la alfombra?». Nos tumbábamos literalmente en el suelo, boca abajo sobre una alfombra, y rezábamos.

Jean-Luc hablaba todo el tiempo sobre el Señor. Y me animaba. Con todas las incertidumbres que yo solía mostrar mientras intentaba averiguar qué era lo que Dios tenía planeado para mí, las palabras de aliento de Jean-Luc, eran tan valiosas como su honestidad.

Él también era mi mentor musical y, por suerte, era igual de directo en ese ámbito que en el espiritual.

«Ay, amigo», decía con su marcado acento francocanadiense después de escucharme, «a veces tu ritmo no es tan bueno». O «Venga, hombre, cuando cantas, siente cada palabra». Solía preguntarme: «¿Qué estás diciendo?», para hacerme reflexionar sobre el mensaje que quería transmitir. Cuando le explicaba lo que estaba pensando, exclamaba con entusiasmo: «*¡Pues cántalo!*». También era muy fervoroso a la hora de animarme. Cuando yo tocaba y cantaba, le gustaba decirme: «Me encanta tu corazón».

Cuando nos conocimos un poco mejor, Jean-Luc me preguntó si quería tocar una canción en el concierto que daba esa noche. Me quedé estupefacto porque no me había esperado que me hiciera esa pregunta. A mí me hacía feliz el mero hecho de trabajar en la parte de *merchandising* y aprender mirando a The Kry en acción.

«Me *encantaría*», le respondí con una gran sonrisa.

Cuando me coloqué entre los miembros de la banda y miré al público me puse supernervioso. ¡Estaba compartiendo el escenario con The Kry! Mi primera canción con ellos fue «Get Away» (Escapar). Creo que en ese momento me preocupaba más Jean-Luc que el público, porque era un auténtico perfeccionista en lo que a música se refería. Cada vez que tenía la sensación de que estaba perdiendo el ritmo, quería morirme por dentro. Tenía tanto miedo de cometer un error que actúe como un autómata sobre ese escenario.

Luego llamé a mis padres.

—¿Adivinad qué? ¡He estado en el escenario tocando una canción con The Kry! —exclamé. Ellos se alegraron mucho y me preguntaron cómo me había ido.

—Fue una locura —respondí—. ¡Estaba tan nervioso!

Me dijeron que les habría gustado estar allí para verme actuar (aunque solo había tocado una canción) y que estaban muy orgullosos de mí. Es algo que mis padres siempre me dicen. Mi padre tiene una forma particular de expresarlo y también lo hizo durante esa llamada: «Estoy muy orgulloso de ti porque estás sirviendo al Señor». (Todavía me encanta cuando lo dice).

O Jean-Luc no lo notó, o (lo más probable) pasó por alto la «calma» a lo C-3PO que mostré esa primera vez en el escenario, porque me permitió volver a tocar con The Kry unas cuantas veces más.

Estaba claro que me iba encaminando hacia algún tipo de ministerio musical, y las personas que me rodeaban me alentaban a seguir por ese camino. Pero no estaba listo para dar un paso adelante y declarar que quería dedicarme por completo a la música o ejercer el ministerio a través de ella. No había tenido uno de esos momentos de «Esto es lo que quiero hacer» o «Quiero ser esto». Cuando me preguntaban sobre la música, respondía: «Si eso es lo que Dios quiere, genial». En el pasado me había dejado llevar por mis propios impulsos y había sido testigo de las consecuencias negativas que eso me había ocasionado, y no quería volver a pasar por algo así. Pero esta vez sentí que Dios estaba abriéndome las puertas de la música.

Cuando Jean-Luc me dijo: «Oye, ¿por qué no tocas una de tus canciones?», se me presentó una gran oportunidad. La primera vez que subí al escenario solo, antes de que entrara The Kry, fue en el colegio Cedarville College (ahora Universidad) en Ohio, donde canté «This Man» (Este hombre). Después volví a tocar «Get Away» con la banda.

La descarga de adrenalina fue impresionante. Tras presenciar la reacción del público, de sentir cómo el Señor se encontraba allí presente y cómo mi música formaba parte del encuentro de las personas con Él, esa noche bajé del escenario pensando: *Es esto. ¡Esto es lo que el Señor me ha llamado a hacer!*

Estaba como loco por tocar y cantar, y por compartir mi corazón con el público. De nuevo, gracias a Jean-Luc, se me presentaron más oportunidades de hacerlo.

Cada vez que invitaban a The Kry para tocar en iglesias locales en fechas que el grupo ya tenía reservadas, Jean-Luc me recomendaba.

Para actuar tenía que pedir a mis amigos que me llevaran a las iglesias o que me prestaran sus coches, hasta que un conocido se enteró de mi situación y me dejó usar un coche viejo que él ya no utilizaba. En ese momento me acordé de los automóviles que nos regalaban cuando era pequeño. El vehículo que me prestaron no era mucho mejor. Era un Nissan Sentra (creo que un modelo de 1981) y cada vez que me topaba con un bache, se abría el maletero.

Nunca guardé mi Taylor en el maletero. De hecho, nunca debería guardarse una guitarra en una maletero, sobre todo en uno que pueda abrirse de golpe.

Lo curioso de ese coche era que tenía una caja de cambios manual y que era tan viejo que los números de la palanca se habían borrado por el uso. Cuando iba por la autopista, si metía cuarta y aumentaba la velocidad, el motor rugía con un chillido agudo. Un día, un amigo que viajaba conmigo me comentó gritando por encima del rugido del motor que quizás el coche tuviera una quinta marcha.

—¿Dónde está la quinta? —le pregunté.

Me indicó que moviera la palanca hacia la derecha y luego hacia arriba y... ¡Era verdad, tenía cinco marchas! Después de ese descubrimiento, el coche sonó mucho mejor.

Mi guitarra Taylor valía más dinero que el coche, pero al igual que habían hecho mis padres con los diversos vehículos que nos habían regalado, yo también me sentí agradecido porque Dios hubiera despertado en el corazón de alguien el deseo de ayudarme.

Vivir con la abuela Marge mantuvo mis gastos al mínimo. Sin embargo, nunca le habría confesado a Jean-Luc que me encontraba al borde de la bancarrota. The Kry me pagaba unos cien dólares por trabajar vendiendo *merchandising*, y también ganaba algo de dinero cantando en las iglesias. Esos eran todos mis ingresos, pero el dinero nunca me había preocupado demasiado. Jamás había tenido mucho, así que tampoco tenía la sensación de que me faltara algo.

Puede que parecieran momentos de escasez, pero yo lo recuerdo como una etapa bastante fructífera. Estaba creciendo espiritualmente como parte del maravilloso grupo juvenil de Calvary Chapel Vista. Jean-Luc era un guía espiritual y musical. A través de la música, veía cómo Dios me ponía a su servicio y me abría puertas. Y por fin empezaba a sentir que tenía un propósito específico en mi vida.

Capítulo 7

ABANDONADO Y DEVASTADO

Durante la primavera de 1999, recibí una de tantas solicitudes que me hacían mis amigos del colegio bíblico: Jason Duff me preguntó si podía dirigir la alabanza para un grupo de estudios bíblicos que él lideraba y que se reunía todas las semanas en el Palomar College. Tenía un grupo de amigos muy generosos que me había estado buscando oportunidades para tocar en sus iglesias y grupos pequeños. A mí me encantaba liderar la alabanza cada vez que se me presentaba la oportunidad, y ayudar a un buen amigo como Jason era un placer.

Jason me habló de una estudiante en particular que había conocido en su grupo de estudios bíblicos. «Es asombrosa», me dijo. «Tienes que ver lo mucho que ama al Señor». Pero yo lo único que veía en ese momento era que Jason estaba muy interesado en ella.

Cuando llegué al Palomar College, Jason me presentó a Melissa Henning. Tenía el cabello castaño oscuro, grandes ojos color café y la sonrisa más bonita del mundo. *Vaya*, pensé. *Él tenía razón; es encantadora*. Jason había elegido bien.

Esa noche, había unos ocho estudiantes en el grupo de estudios de Jason, y todos formamos un círculo para comenzar a rezar y a cantar alabanzas. A pesar de ser un grupo reducido, compartimos un momento increíble cantando y adorando a Dios. Todos los estudiantes participaron con gran entusiasmo, pero hubo una persona en particular que me llamó la atención: la amiga de Jason, Melissa.

Nunca había visto a nadie de nuestra edad mostrar una pasión tan intensa por Dios. Cantaba entregándose por completo, con los brazos totalmente extendidos. Estaba tan absorta en la presencia del Señor que hizo que me sintiera como un intruso. Cuando la reunión de estudios terminó, Melissa y yo nos quedamos hablando un rato.

Durante las semanas siguientes, la vi en el grupo de estudios bíblicos y en otros encuentros grupales. Jason no dejaba de hablarme sobre lo mucho que pensaba en ella. Sin embargo, nunca me dijo nada que indicara que Melissa sintiera lo mismo por él. Cuando los observaba interactuar en el mismo grupo, parecía que el único que tenía esperanzas de que su amistad se convirtiera en algo más era Jason.

De hecho, a medida que fui pasando más tiempo con Melissa, me di cuenta de que la única química que estaba surgiendo era la que había entre nosotros.

Un día la llamé para hablarle sobre el vínculo que notaba se estaba creando entre ambos, y ella me confirmó que el interés era mutuo. Pero también teníamos algo más en común: éramos amigos de Jason. En realidad, Jason era uno de mis mejores amigos, y sabía que él estaba prácticamente convencido de que su relación con Melissa podía ir más allá de una simple amistad.

Melissa y yo estuvimos de acuerdo en que nos encontrábamos en una situación complicada. No queríamos herir a Jason, pero nos encantaba hablar el uno con el otro y queríamos seguir pasando el rato juntos. Quedábamos para almorzar o tomar un café y hablar sobre Dios, sobre la música y un montón de cosas más. Jason había estado en lo cierto cuando me dijo que Melissa era asombrosa. Era una persona muy feliz, con un carácter tremendamente alegre.

Melissa me contó que se había criado en un hogar cristiano, pero que se había desviado un poco del camino; nada grave, solo que no había estado tan comprometida con Dios como ella creía que debía. Un día, el Señor le había hablado a través de su corazón sobre su falta de compromiso. Entonces se dio cuenta de lo que había estado haciendo y volvió a servir a Dios. Otros miembros de la familia de Melissa habían pasado por esa misma fase, y ella los había ayudado a recobrar el compromiso con su fe como ella había hecho. Melissa era una líder nata y una testigo fervorosa, y yo la admiraba por ello.

También era muy devota del Señor. Durante las reuniones de estudios bíblicos, algunos de mis amigos y yo solíamos gastar algunas bromas. Era joven y me gustaba hacer un poco el tonto. A Melissa también le gustaba divertirse, y tenía una risa increíblemente alegre y contagiosa (y a veces también muy escandalosa). Pero cuando hacía demasiado el payaso, ella y su adorable sonrisa de «¡Ya basta!» me hacían saber que me estaba pasando y que debía controlarme. Me encantaba cuando me dedicaba una de esas sonrisas.

Habíamos estado viéndonos durante aproximadamente un mes y me estaba enamorado irremediablemente de ella. En una ocasión, cuando estábamos juntos, comencé a pensar: *Tengo que decírselo. Tengo que decírselo.*

La siguiente vez que quedamos fue en casa de sus padres. Nos sentamos en el salón y tuve la sensación de estar sumidos en nuestro propio mundo. Empezamos a hablar y se me empezó a acelerar el corazón. Me estaba poniendo sentimental. No dejaba de pensar: *¡Esta chica es increíble! ¡Podría casarme con ella!* Mi corazón siguió latiendo a toda velocidad y noté que me sudaban las palmas.

¡Díselo! ¡Díselo! ¡Díselo!

—Melissa, solo quiero que sepas que te amo.

Me miró desconcertada e inmediatamente después adoptó una expresión que indicaba: «Me has dejado anonadada, pero no quiero que te des cuenta». Deseé no haber dicho nada.

A continuación, sobrevino un silencio incómodo hasta que Melissa dejó escapar un suspiro.

—Jeremy, te agradezco mucho lo que acabas de confesarme, pero ahora mismo no puedo decirte lo mismo. Para mí, esas palabras representan un compromiso muy importante.

Me sentía avergonzado y devastado. Temía haberla asustado hasta el punto de arruinar cualquier clase de relación que pudiera surgir entre nosotros.

Esa noche no dormí bien. Seguía reviviendo esa escena en mi mente. Sin embargo, tras meditarlo, me di cuenta de que había necesitado decírselo. Era lo que sentía y no podía hacer nada al respecto. Ella amaba a Jesús y al prójimo. No se creía mejor ni superior a los demás. Si veía a alguien que no iba bien vestido o parecía estar pasando penurias se acercaba a él y le decía: «¿Cómo te va? ¿Sabes que Jesús te ama?». Era asombrosa. Era la elegida para mí. Estaba seguro de eso. Pero ¿me había dejado llevar tanto por mis emociones que me había precipitado y arruinado todo?

Tuve que seguir haciéndome esa pregunta durante un par de semanas, porque mi declaración de amor hizo que nos sintiéramos un tanto avergonzados. Ya no nos veíamos a diario, así que tuve tiempo de sobra para reflexionar y especular. Cuando estábamos juntos, tenía la necesidad de convencerla de que nada había cambiado entre nosotros. Pero luego me di cuenta de que esa estrategia podría volverse en mi contra, porque al intentar demostrarle que todo seguía como siempre, podía comenzar a hacer cosas que no eran las de siempre. Me encontraba en esa posición desconcertante donde pensaba demasiado lo que debía hacer en lugar de ser simplemente yo mismo.

Así que no nos veíamos todos los días, pero no podía intentar pasar más tiempo con ella porque hubiera parecido demasiado insistente. Y tampoco podía verla menos para «darle espacio», porque hubiera parecido que me estaba alejando de ella porque no me había correspondido. Por desgracia, no conocía ningún libro titulado *¿Qué hacer cuando dices «te amo» demasiado pronto?* que pudiera leer en busca de ayuda. Arreglar el desastre que yo mismo había ocasionado solo dependía de mí.

Lo que sí sabía con certeza era que no volvería a decirle que la amaba hasta que ella también me lo dijera. No cometería ese error por segunda vez.

Destrozado

Aunque la sensación de vergüenza duró unas pocas semanas, a mí me parecieron meses. Pero al final logramos regresar al punto donde habíamos estado antes de que yo dejara caer la bomba en el salón de sus padres, y a partir de ese momento nuestra relación incluso comenzó a ir un poco más allá.

Después de superar mi metedura de pata, reconocimos que había llegado el momento de contar a Jason lo que estaba sucediendo. No tenía ni idea de cuándo, dónde o cómo se lo diría. No estaba preparando ningún discurso tipo «Jason, tenemos que hablar», pero sabía que tendría que decírselo en cuanto se presentara la primera oportunidad.

La ocasión llegó cuando un grupo de amigos fuimos a la playa a pasar un rato juntos. Jason y yo estábamos dando un paseo solos y él dijo:

—¿Sabes?, anoche hablé con Melissa. —Jason llamaba a los miembros de su grupo de estudio bíblico todos los días solo para ver cómo se encontraban. Me sentí mal por él cuando dijo que había llamado a Melissa, porque, por el tono de su voz, resultó evidente que aún sentía algo por ella.

—Tengo que contarte algo, amigo —comencé a decir. Hice una pausa para que se diera cuenta de que ese «algo» era un asunto serio. En ese momento no sabía que Melissa y su hermana Heather nos observaban nerviosas a lo lejos, tomadas de las manos y rezando porque nuestra conversación fuera bien—. Melissa y yo nos hemos estado viendo, y nos gustamos.

—¡¿Qué?! —Preguntó para ver si lo decía en serio. Cuando le respondí que sí, lógicamente se enfadó un poco.

En ese momento me asusté porque me di cuenta de que la conversación no terminaría bien. No esperaba que Jason dijera: «Ah, no te preocupes. Qué mala suerte, pero da igual». Por supuesto que no. Pero se tomó la noticia mal, muy mal. Contárselo fue mucho más difícil de lo que me había imaginado.

—De entre todas las chicas, ¿por qué Melissa? —quiso saber—. Sabías lo que sentía por ella.

—Simplemente sucedió —dije. Intenté justificarme, pero no lo logré. Aunque no creo que ninguna explicación hubiera mejorado la conversación.

Jason estaba destrozado, y con razón, y nada de lo que yo hubiera dicho lo habría arreglado.

Mi amigo estaba disgustado y yo me sentía fatal por el daño que le había hecho. Caí de rodillas en la arena y lloré.

—Lo siento muchísimo, Jason —dije—. No quiero hacerte daño.

Pero lo había hecho.

Jason era una de esas personas a las que todo el mundo quería, *yo* el primero. Tenía seguidores muy leales, en especial los de su grupo de estudio de la Biblia, porque era un gran líder que siempre se preocupaba por las personas a las que guiaba. Las llamadas telefónicas a los miembros del grupo lo demostraban.

A los ojos de los amigos que Jason y yo teníamos en común, yo era el cretino que le había robado a Melissa. Por mi parte, no pensaba que fuera así en absoluto, pero me quedé un poco marginado dentro del grupo. Tuvo que pasar un tiempo para que las heridas de lo que pasó en aquel momento cicatrizaran, pero terminaron curándose. Sigo queriendo a Jason y todavía somos buenos amigos.

Nuestra conversación, sin embargo, provocó otra reacción negativa para la que no estaba preparado: la de Melissa.

Cuando vio lo afectado que estaba Jason y cuántos de nuestros amigos lo defendían, nuestra relación se volvió más fría. Si tantas personas consideraban que lo que habíamos hecho estaba mal, Melissa empezó a plantearse si nos habíamos equivocado al estar juntos. Yo intenté convencerla de lo contrario, de que los demás no apoyaban nuestra relación solo porque pensaban que habíamos hecho daño a Jason. Ellos no sabían lo cuidadosos que habíamos sido con él, cómo habíamos mantenido el inicio de la relación en secreto para ver qué era lo que de verdad sucedía entre nosotros antes de hablar con él.

—Tú me importas y yo te importo —le decía—. Somos importantes el uno para el otro. Ambos amamos al Señor. No hay nada de malo en esto.

—No lo sé —respondía ella—. Parece que esta historia ha creado demasiada confusión y no sé si estamos haciendo lo correcto.

Continuamos saliendo juntos, aunque las consecuencias de la conversación con Jason minaron nuestra relación. Jason y yo seguimos siendo amigos, y Melissa y Jason también, pero ahora había una cierta frialdad en ambas relaciones.

Aproximadamente un mes después de contarle a Jason mi relación con Melissa, los tres formamos parte de un grupo de la universidad de Vista que fue en una misión a Maui. Esa fue una gran oportunidad para evangelizar a algunos de los sectores más pobres y alejados de las zonas turísticas de la isla. Allí vimos cómo Dios obraba de manera increíble en las vidas de las personas.

Sin embargo, lo que había sucedido entre Melissa, Jason y yo seguía siendo una distracción. Creo que, teniendo en cuenta las obras de Dios que estábamos presenciando en nuestro viaje, todos nos sentíamos sumamente conscientes de cuál era Su propósito al enviarnos allí y de la importancia de enfocarnos por completo en el Él y en lo que quería de nosotros en ese viaje.

En uno de nuestros momentos de descanso, cuando Melissa y yo nos encontrábamos solos en la playa, me dijo que quería terminar nuestra relación. Sus razones eran las mismas a las que siempre había intentado oponerme.

—Simplemente no me parece correcto —dijo—. Hay demasiados problemas y demasiadas fricciones. Con todo lo que está sucediendo, no creo que el Señor esté de acuerdo con esto. En este momento solo necesito refugiarme en la Palabra.

En el CCBC, los chicos solíamos bromear con la forma «típica de colegio bíblico» con la que una chica podía romper con su novio: «No eres tú, solo necesito estar con Jesús. Ahora, Él es mi novio».

Melissa no me dijo exactamente eso, pero sin duda lo sentí de ese modo. Estaba devastado. Aunque solo se lo hubiera dicho una vez, la amaba. Creía con todo mi corazón que ella tenía que ser mi esposa. Así que hice lo que cualquier otro joven maduro al que acaba de abandonar la mujer de sus sueños habría hecho: lloré como un niño pequeño y llamé a mi madre.

—¿Qué os pasa a las mujeres? —le pregunté—. Esto es absurdo. ¡Creía que ella era la elegida!

Me habían roto el corazón, y mi madre lo entendió sin que yo se lo dijera. Escuchó con atención mientras me desahogaba y luego, con su serenidad habitual y su forma directa, sugirió que dejara de verlo desde mi punto de vista y lo viera desde el punto de vista del Señor.

—Tu única opción —me recordó— es ser paciente y confiar en Él.

¿Colgué y me fui correteando a la playa, chocando la mano con cualquiera con el que me cruzara? Por supuesto que no. Todavía me sentía dolido. Todavía estaba confundido. Todavía estaba *destrozado*. Nada de eso había cambiado. Pero el consejo de mi madre hizo que me distanciara un poco de mis emociones y tuviera en cuenta la verdadera razón de aquel viaje.

Cuando recuerdo esa época, me doy cuenta de que mi ruptura con Melissa durante ese viaje trajo algo bueno: me afectó de tal manera que concentré toda mi atención en Dios durante el resto de nuestra estancia en Maui. En mi dolor, vi cómo Él podía valerse de mí de formas asombrosas.

Después de que Melissa terminara conmigo, Dios se convirtió en el único propósito de mi viaje. Compartía el Evangelio con cualquiera que quisiera escucharme, y ¡las personas aceptaban a Cristo como su Salvador en ese mismo instante! Estaban ocurriendo cosas maravillosas. Un día me acerqué a un grupo de quince chicos y empecé a hablar con ellos. Ellos se abrieron a mí y enseguida me sentí bienvenido en su grupo. Tuvimos una conversación maravillosa. Compartí con ellos algunas de las cosas que Dios había obrado en mi vida, luego les hablé de Adán y Eva, de cómo el pecado había llegado al mundo y de cómo Cristo vino para redimir todos esos pecados.

«Amo a Jesús», les dije. «Él ha cambiado mi vida y puede cambiar las vuestras».

Al final, cada uno de los chicos agachó la cabeza y rezó para aceptar a Cristo. Me hice una fotografía con ese grupo que todavía conservo. Ver esa fotografía con esos quince chicos me recuerda no solo lo que hice, sino lo que hizo el Espíritu Santo. En ese momento en el que me sentía completamente vacío, destrozado y vulnerable, el Señor me utilizó como su servidor.

De hecho, es probable que Él pudiera hacerlo precisamente en ese momento *porque* yo me encontraba completamente vacío, destrozado y vulnerable.

Capítulo 8

«SOLO UNA PERSONA»

Melissa y yo aún teníamos el mismo grupo de amigos, así que después de que rompiera conmigo durante nuestra misión en Maui, todavía nos veíamos cada dos semanas más o menos. Aquellos encuentros me hacían sentir un tanto incómodo.

«Volvimos» durante un breve período, pero luego ella me dejó de nuevo.

Sufría cada vez que la veía.

Si nos encontrábamos en el mismo lugar, la saludaba con un escueto «Hola», pero la mayor parte del tiempo intentaba evitarla. A pesar de eso, ella intentaba ser mi amiga y hacía lo posible por iniciar una conversación conmigo, pero yo no soportaba verla y que lo nuestro se redujera a una simple amistad.

A finales del verano de 1999, me mudé de la casa de la abuela Marge después de haber pasado cerca de un año y medio con ella. Marge era una mujer especial y el tiempo que compartí con ella fue una auténtica bendición. Ahora me doy cuenta de que Dios la puso en mi camino por más razones que proporcionarme un techo.

Tuvimos conversaciones muy profundas, y aprendí mucho de su experiencia sirviendo al Señor. Cuando me enteré de algunas situaciones que había tenido que afrontar en su vida, como la muerte de su esposo, me maravillé de que nunca hubiera cuestionado a Dios. Sabía que el Señor estaba con ella, lo amaba y parecía esperar con ansias reunirse con

Él. Recuerdo a la abuela Marge como una mujer devota con una determinación sólida como una roca pero con una ternura tremenda.

Un amigo de Vista, Danny, me había preguntado si quería compartir vivienda con él. En ese momento, gracias a que cantaba en iglesias, estaba ganando lo suficiente como para pagar mi parte proporcional de un módico alquiler, aunque, para ahorrar dinero, tenía que comer más atún, huevos y fideos ramen de los que podía tolerar. (Comí tantos fideos ramen que hoy en día me pongo enfermo de solo verlos).

Veía a Melissa cada vez menos, pero seguía pensando en ella y echaba mucho de menos estar a su lado. En octubre, un amigo me contó que Melissa estaba teniendo dolores de estómago y que iban a hacerle pruebas para ver de qué podía tratarse.

El día de las pruebas, fui con un grupo de amigos a visitarla a casa de sus padres. Los resultados revelaron que tenía un quiste de gran tamaño pero que no era cancerígeno. Melissa se mostró tan animada como siempre.

Me sentí raro al visitarla en casa de su familia, pero me gustó volver a verla. Ella también se alegró de verme, aunque, como era de esperar, todavía quería que fuéramos solo amigos. Como grupo habíamos decidido visitarla para que viera lo mucho que nos importaba, pero yo todavía pensaba en ella como algo más que una amiga, y no quise quedarme allí demasiado tiempo.

En esa misma época se me abrió otra puerta en el mundo de la música. Con Jean-Luc como productor, grabé mi primer CD: un proyecto independiente de diez canciones titulado *Jeremy Camp: Burden Me*. Lo grabamos en San Diego en el centro Horizon Christian Fellowship, gracias al pastor Mike MacIntosh.

Todavía agradezco a Jean-Luc por los consejos y el apoyo que me brindó después de que Melissa y yo termináramos. Cada vez se me presentaban más oportunidades de tocar en iglesias, y en algunas ocasiones también actuaba con The Kry. La música me ayudó a ir olvidándome poco a poco de Melissa y a continuar con mi vida.

Llegó un momento en que incluso acepté que lo más probable fuera que no volveríamos a estar juntos. En realidad ni siquiera quería volver a intentarlo, ya que era ella la que había roto conmigo (dos veces), y no quería correr el riesgo de que volviera a hacerme daño.

Pero entonces, en la primavera del año 2000, un amigo me preguntó si me había enterado de lo que le había pasado a Melissa.

«Volvieron a encontrarle un quiste», dijo, «y se lo quitaron. Pero esta vez es cancerígeno».

¿Cancerígeno? ¿Melissa?

Quise ir a verla al hospital (solo como amigo) para mostrarle mi apoyo.

Era un trayecto de noventa minutos, y durante todo el camino me emocioné mucho. Me dolía el corazón por ella. Nos habíamos alejado y no habíamos mantenido mucho el contacto, pero habíamos compartido algo especial, y todos esos sentimientos me asaltaron de pronto.

Durante ese viaje reflexioné mucho y me di cuenta de que en ese momento debía olvidarme de mí mismo y solo ser un amigo. No podía estar enfadado con ella, ni sentir resentimiento porque hubiera terminado conmigo. Melissa necesitaba amigos, me dije, pero a pesar de que había decidido pasar página, no podía negar que todavía sentía algo por ella.

Sorpresa en el hospital

Mientras me dirigía al mostrador de entrada del hospital y preguntaba por el número de habitación de Melissa me sentí raro. Luego, cuando subía en el ascensor hasta su planta, la ansiedad me atenazó el estómago.

Salí del ascensor y fui hacia la sala de espera, donde estaban sentados algunos de los familiares y amigos de Melissa. Allí, me informaron de que le habían diagnosticado cáncer de ovario. La habían sometido a una cirugía para extirparle el tumor, pero era agresivo y comenzaría de inmediato con la quimioterapia.

Enterarme de la gravedad del tumor y de que tendrían que empezar el tratamiento con tanta urgencia me puso todavía más nervioso. La hermana de Melissa, Heather, me dijo que iría a avisarla de que yo estaba allí. No quería presentarme de pronto en su habitación y decir: «¡Hola! ¡Aquí estoy!».

Caminé lentamente por el pasillo para que a Heather le diera tiempo de contárselo a Melissa. Cuando me acerqué a su habitación, sus padres, Mark y Janette, se estaban marchando. Se los veía serios, pero serenos.

¿Por qué estaban saliendo de la habitación?, me pregunté. No sabía cómo actuar. Quería estar allí como un amigo, pero ¿y si me veían como al exnovio que regresaba?

—Hola —me saludaron sus padres, mientras sonreían y me abrazaban—. Gracias por venir.

Mark y Janette se alejaron, y mi ansiedad se disparó. No quería estar en la habitación a solas con Melissa. No sabía qué esperar. *Cáncer* es una palabra inquietante, y tenía miedo de entrar y encontrármela con mal aspecto y alicaída después de la operación.

Me armé de valor, respiré hondo, abrí la puerta y me quedé perplejo. Melissa estaba sonriendo de oreja a oreja y absolutamente deslumbrante. Sus grandes ojos color café brillaban tanto como siempre.

¿Por qué está tan feliz? Acaba de enterarse de que tiene cáncer. Yo estaría devastado.

—¿Cómo estás? —le pregunté.

Su respuesta sigue inspirándome hoy en día:

—Si fuera a morir por este cáncer y mi muerte consiguiera que alguien, aunque solo fuera una persona, aceptara a Jesús en su corazón, entonces habrá valido la pena.

¡Vaya! ¡Qué respuesta!

Una sensación de remordimiento y paz me invadió al instante. Remordimiento por mi falta de fe en comparación con la de Melissa, y paz por el mero hecho de estar en su presencia y ver su perspectiva eterna mientras luchaba contra el cáncer. *¡Melissa estaba dispuesta a sufrir si eso significaba que alguien, aunque solo fuera una persona, se ganaría la eternidad en el cielo!* He oído a otros expresar ideas similares, y es un sentimiento que muchos de nosotros desearíamos poder experimentar, pero esas palabras adquirían un significado completamente diferente cuando las decía una amiga enferma de cáncer mientras yacía en la cama de un hospital.

Recordé un versículo: «Porque para mí el vivir es Cristo, y el morir es ganancia»[5]. Cuando más adelante reflexioné sobre haber recordado ese versículo en ese preciso momento, me di cuenta de que Pablo no solo estaba hablando sobre nuestra ganancia cuando vamos al cielo, sino de la ganancia de aquellos que, aquí en la tierra, recurren a Jesús mientras observan cómo lidiamos con circunstancias difíciles.

En un lateral de la cama de Melissa, escrita con su puño y letra, estaba pegada la letra de la balada «If you Want Me To» (Si eso es lo que quieres), de la compositora cristiana Ginny Owens. El ultimo verso es realmente conmovedor:

So take me on the pathway that leads me home to You / Así que condúceme por el camino que lleva a casa, a Ti
And I will walk Through the valley if You Want me to / Y yo caminaré por el valle, si eso es lo que quieres.

Más adelante, tuve el privilegio de conocer a Ginny y contarle cuánto significó su canción para nosotros dos. La letra (en especial el verso donde dice *Gonna look into Your eyes and You never let me down / Te miraré a los ojos y veré que nunca me has fallado*) tiene un significado más profundo si cabe, teniendo en cuenta que Ginny es ciega desde temprana edad.

No recuerdo lo que Melissa y yo hablamos o cuánto tiempo estuve en su habitación ese día en el hospital. Pero sí recuerdo que, antes de irme, le dije que seguiría llamándola para saber cómo estaba y que iría a visitarla cada vez que pudiera. Quería ser un buen amigo para ella.

Mensajes de amor

Volví a emocionarme de regreso del hospital a casa. Las palabras de Melissa de «aunque solo sea una persona» y la manera con la que estaba lidiando con la situación me recordaron cuánta devoción tenía ella por Jesús y por los demás y que precisamente esa era la razón por la que me había enamorado de ella. Todo lo que sentía por ella, y que por lo visto había logrado reprimir, volvió a desbordar mi corazón. Al intentar olvidarme de nuestra relación, me había convencido de que Melissa era una persona indecisa que no sabía muy bien lo que quería. Pero en el fondo sabía la verdad. Melissa era una joven extraordinaria.

Recordé todos los momentos que habíamos pasado juntos; recuerdos que había reprimido porque me dolían demasiado. A medida que daba rienda suelta a mis antiguos sentimientos por Melissa (algo que llevaba sin hacer desde hacía mucho tiempo), me puse tremendamente triste por el futuro incierto que le deparaba el cáncer.

Mientras conducía, la canción de Ginny Owens, «If You Want Me To» comenzó a sonar en la radio. Los ojos se me anegaron de lágrimas hasta tal punto, que pensé que tendría que detener el coche.

«Señor, ¿qué está sucediendo?», pregunté. Y de pronto solté estas palabras: «Señor, si me dice que me ama, ¡me casaré con ella!».

No sé por qué dije eso, pero tenía la certeza de que esas palabras habían salido de lo más profundo de mi corazón. Pasé esa noche rezando por Melissa, llorando y deseando volver a estar junto a ella.

Al día siguiente, llamé a mis padres para contarles lo de la visita al hospital y les expliqué todo lo que seguía sintiendo por Melissa. Mi padre no dijo nada, así que le pregunté qué pensaba.

—Bueno, hijo —comentó—, sabes que si eliges este camino, quizá termines junto a alguien a quien tengas que cuidar el resto de tu vida. No será fácil. ¿Estás preparado para ello?

En medio de la turbulencia emocional de la noche anterior, no había pensando en eso. Pero nada de aquello importaba.

—Sí —le respondí a mi padre—, puedo hacerlo.

Volví a visitar a Melissa en mayo, durante su primer ciclo de quimioterapia. Suponía que le dolería, o que al menos se encontraría mal por el tratamiento. De camino a casa de sus padres, pensé: *Va a decirme que me ama. Sé que hoy me lo dirá.*

Cuando llegué, Melissa estaba en su habitación. No se encontraba bien y se había tumbado un rato en la cama.

Entré esbozando una gran sonrisa, ya que quería mostrarme alegre delante de ella.

—Eh, ¿cómo estás?

Me di cuenta de lo dura que debía de haber sido la quimioterapia al oír el hilo de voz con el que me respondió.

Estuvimos hablando de temas intrascendentes durante algunos minutos, hasta que su gesto cambió, indicándome que tenía que decirme algo importante.

—Jeremy —comenzó—. Nunca entendí por qué las cosas no estaban funcionando entre nosotros. Sabía cómo te sentías. Y siempre me has importado mucho. Pero tenía algunos reparos, y no sabía por qué. Ahora lo sé. Dios me estaba preparando. Quería que estuviera a solas con Él en estos momentos, a fin de estar lista para lo que tendría que afrontar.

Asentí.

—Quiero enseñarte algo —dijo.

Sacó sus diarios y empezó a pasar las páginas que había escrito durante el tiempo que habíamos estado separados. Los diarios detallaban cómo había estado rezando por mí y por convertirse en mi futura esposa.

—Tú me importabas mucho —continuó—. Cuando rompimos, incluso conocí a un chico, pero comenzamos a salir y no podía dejar de pensar en ti y en que él no eras tú. El día que viniste al hospital, después de pasar todos esos meses rezando, supe que te amaba.

Te amo.

¡Lo había dicho! No podía creerlo. Había estado esperando que esas palabras salieran de su boca y me había pasado noches enteras soñando con escucharlas. Incluso había tenido el presentimiento de que me lo diría, pero cuando lo dijo, respondí de una manera que jamás me hubiera esperado.

—Esto me da… miedo —reconocí—. No sé si puedo hacerlo. Por favor, solo dame un poco de tiempo.

Capítulo 9

VIVIR POR LA FE

El «te amo» de Melissa llegó justo cuando estaba a punto de viajar a Colorado para tocar en una serie de conciertos. Tuvo la amabilidad de decirme que me concedería todo el tiempo que necesitara para pensar sobre nuestra relación. Me aseguró que no esperaba que le prometiera nada, pero que había sentido la necesidad de decirme que me amaba para que yo supiera lo que sentía por mí. Le dije que volvería a verla cuando regresara de Colorado.

Sé que algunos lectores pueden estar pensando: *¡¿En serio?! Acaba de sincerarse contigo y confesarte que te ama, y tú prometiste a Dios que te casarías con ella si te lo decía. ¿Y ahora vas y te arrepientes?*

No estaba intentando retractarme de la promesa de casarme con ella que había hecho a Dios. El matrimonio es un gran compromiso en sí mismo, y tal y como mi padre me había advertido, me di cuenta de que, debido al cáncer, casarme con Melissa implicaría afrontar una presión considerable desde el principio. De los dos, yo era el que tenía una personalidad más impulsiva, pero en este caso había tantos factores desconocidos, que necesitaba tiempo para evaluar qué podía depararnos el futuro.

Los organizadores de uno de los conciertos en Colorado me alojaron en una cabaña tranquila en las montañas. Era el sitio perfecto para rezar y reflexionar. Durante el día que pasé allí, me quedé despierto la mayor parte de la noche rezando y preguntando a Dios qué camino elegir con respecto a Melissa. Fue una noche tan larga, emotiva e insomne que al día siguiente, mientras me preparaba para el concierto de esa noche, creí hacerme una idea de cómo se había sentido Jacob después de la noche que pasó luchando con Dios.

Mientras buscaba la guía de Dios, recordé las palabras de Santiago 1:5: «Si a alguno de vosotros le falta sabiduría, pídasela a Dios, y él se la dará, pues Dios da a todos generosamente sin menospreciar a nadie».

Sí, ahora necesitaba la sabiduría de Dios más que nunca. No podía responder por mí mismo a la pregunta de qué debía hacer a continuación. Sabía lo que había dicho que haría, pero no comprendía cómo podría encajar casarme con Melissa con lo que el Señor me había llamado a hacer en el plano musical. Y entonces, Él me respondió: *Tú me lo pediste, hijo. Y ella ha respondido a esa petición tal y como deseabas que hiciera. ¿Qué más necesitas?*

Escuché esas palabras con total claridad, pero aun así luché contra el miedo. Intenté seguir el consejo de Mateo 6:34: «Por lo tanto, no os angustiéis por el mañana, el cual tendrá sus propios afanes. Cada día tiene ya sus problemas». Lo intenté, pero no fue fácil. Durante el viaje, pude ver a John David Webster, un amigo músico que vivía en las Montañas Rocosas. Se percató de que había algo que me preocupaba y me sugirió que diéramos un paseo por las montañas. Me llevó a un sitio precioso, donde pudimos sentarnos sobre una roca enorme y contemplar la belleza del paisaje. Era un lugar maravilloso que recordaba el poder y la majestuosidad de Dios.

Le hablé a John David de mi relación con Melissa, de lo que había dicho que haría si ella me decía que me amaba y de la incertidumbre sobre su estado salud.

«Si la amas con todo tu corazón», señaló John David, «no puedes dejar que el miedo interfiera en este asunto. Solo tienes que hacer lo que Dios te ha llamado a hacer. No puedes pensar en el futuro. Recorre el camino que el Señor te ha señalado y confía en Él».

Confía en Él.

Esas palabras resonaron en mi mente como si las montañas de Colorado las hubieran amplificado. Contemplé el paisaje imponente y pensé en la grandeza de Dios. Él había creado todo lo que podía ver desde la cima de la roca donde estaba sentado y mucho más. Si Él podía llevar las riendas y mantener en pie a la Tierra entera, sin duda podía hacer lo mismo con alguien tan pequeño como yo. Es como dice esa antigua canción infantil: «Dios tiene al mundo entero en sus manos». Y eso me incluía a mí.

Después de aquella reflexión solo podía decir al Señor una cosa: «¡Confiaré en Ti!».

Tal como le había prometido a Melissa, fui a visitarla a casa de sus padres tan pronto como regresé de Colorado. Me dijo que había tenido un mal día y que no se encontraba bien. Se le había empezado a caer su largo cabello castaño debido a los tratamientos. Sin embargo, como era típico en ella, en lugar de centrarse en su situación, quiso saber cómo estaba yo y cómo me había ido en los conciertos. Después de charlar un rato en el salón, quiso que saliéramos al jardín delantero para tomar un poco del aire fresco nocturno.

Me tenía un poco preocupado porque, aunque no dejaba entrever que algo la estuviera molestando, parecía bastante desanimada.

—¿Te encuentras bien? —pregunté.

—Sí —respondió.

—¿Qué sucede? Noto que te ocurre algo.

—Estoy bien —insistió.

La miré directamente a los ojos.

—Mira, Melissa, si vamos a casarnos, vas a tener que ser capaz de contarme todo lo que te pasa.

—¿Casarnos? ¿Me estás pidiendo que me case contigo?

Vi que se le llenaban los ojos de lágrimas y sentí que los míos hacían lo mismo.

—Te amo —dije—. Sé que esto es obra de Dios, que Él ha orquestado todo. Él nos ha reunido.

Aunque todavía estábamos llorando, ambos comenzamos a reír.

No se puede negar que fue algo espontáneo. No le había comprado ningún anillo y tampoco había pedido la bendición a sus padres antes de proponerle matrimonio.

Regresamos a la casa para informar a sus padres.

—¿Podemos hablar con vosotros un momento? —empezó Melissa—. ¡Vamos a casarnos!

Mark y Janette se mostraron exultantes. Me llevaba muy bien con ellos y sabían cuánto me importaba Melissa, cuánto le importaba yo a ella y lo mucho que ambos amábamos al Señor. Lo que más deseaban en el mundo era que su hija fuera feliz, y todavía recuerdo la expresión de absoluta alegría que Melissa lució en el rostro esa noche.

Mis escasos ingresos, que solo alcanzaban para fideos ramen, atún y huevos, no me permitieron regalarle un anillo. Pero la madre de Melissa le dio uno que había pertenecido a su abuela.

A pesar de haber tenido un día duro, Melissa había salido a correr y a caminar un poco, y cuando me presenté en su casa todavía no se había duchado. Días después, bromeó en más de una ocasión, diciendo que siempre se había imaginado una propuesta de matrimonio llena de glamour, y que yo se lo había pedido cuando estaba toda «sudada y pegajosa». Ni que decir tiene que para mí estaba guapísima, y Melissa siempre terminaba diciendo que la propuesta había resultado mucho mejor de lo que jamás había soñado.

Yo no les había contado a mis padres que pensaba pedirle matrimonio, pero sí que Melissa me había dicho que me amaba y que yo había prometido a Dios que me casaría con ella si me lo decía. Estaba deseando darles la noticia de nuestro compromiso. Pero tuve que esperar. Debido a la diferencia horaria entre California e Indiana, no pude llamarlos hasta la mañana siguiente. Fue mi madre la que respondió.

—¡Se lo propuse! —le conté entusiasmado.

Una llamada preocupante

Melissa y yo fijamos la fecha de la boda para el 21 de octubre. Faltaban solo cinco meses, pero no queríamos un compromiso muy largo. Ambos estábamos cien por cien seguros de que queríamos casarnos, así que no había razón para esperar. Queríamos estar juntos. Odiaba tener que despedirme con un «hasta mañana» al final de la noche. Quería pasar todo el tiempo posible con Melissa.

También quería ayudarla a lidiar con los efectos de la quimioterapia. Pero como no estábamos casados, la asistencia que podía ofrecerle tenía sus límites. Sin embargo, su familia fue muy generosa y me permitió colaborar en su cuidado. Había noches en las que me quedaba hasta tarde en su casa y me vencía el agotamiento, y sus padres me dejaban dormir en el sofá del salón.

Como cualquier paciente que se está sometiendo a un tratamiento de quimioterapia, Melissa tenía días difíciles. Cualquiera que haya pasado por eso, o haya acompañado a alguien en circunstancias similares, sabe la batalla física y mental que representa. Aunque desde el punto de vista médico las cosas parecían estar saliendo bien, en lo que respecta al cáncer uno siempre tiene la sensación de estar envuelto en una neblina de inquietud.

Melissa y yo conocíamos la importancia de refugiarnos en la Palabra del Señor y recibir su esperanza y fortaleza, tanto juntos como por separado. En ese momento, un versículo que consideré crucial fue Jeremías 29:13: «Me buscaréis y me encontraréis cuando me busquéis de todo corazón». Nosotros estábamos buscando a Dios con todo nuestro corazón y lo estábamos encontrando. Íbamos juntos a la iglesia, e incluso los días en los que la quimioterapia la dejaba exhausta, Melissa se entregaba al culto con la pasión desmedida de siempre.

Recuerdo aquella etapa como un momento de crecimiento espiritual. Y uno de los motivos fue Melissa. Aunque mi fe había crecido de manera considerable, estar junto a ella me convenció de que debía aspirar a tener una fe aún más profunda. Yo me tomaba en serio los estudios bíblicos y mi relación con el Señor, pero también era joven. Seguía bromeando con mis amigos en las reuniones grupales y, a veces, me dejaba vencer por la pereza en mi tiempo diario de oración. Pero Melissa...Oh, tenía una devoción inquebrantable por Dios. Siempre estaba leyendo la Biblia y rezando. Nunca desperdiciaba la oportunidad de hablar con alguien sobre Jesús. Se esmeraba todo lo que podía por fortalecer su relación con el Señor y por ser un ejemplo inspirador.

A veces, cuando estábamos juntos, me dejaba para hablar con alguien más. Yo le decía: «Eh, que sigo aquí». Pero luego la miraba conversar con esa persona y compartir a Jesús con él o ella, y nunca dejaba de sorprenderme las oportunidades que ella veía a nuestro alrededor y que yo desperdiciaba. Cuando terminaba su charla y contemplaba la reacción de esa persona a lo que Melissa le había dicho, pensaba para mí: «Es increíble».

Creo que *nuestra* fe también estaba creciendo. Como pareja, ambos nos beneficiábamos de la certeza de que debíamos estar juntos y, en cierto sentido, esa seguridad eclipsaba la incertidumbre del cáncer. Todavía nos preocupaba la salud de Melissa y rezábamos constantemente para que se curara, pero compartíamos la alegría de saber que Dios había entrecruzado nuestros caminos y había creado uno para que lo recorriéramos juntos. La alegría del Señor era nuestra fortaleza[6]. Sentir esa alegría era posible porque la felicidad no viene dada por circunstancias que puedan cambiar por el resultado de una prueba o de un dolor repentino. Proviene de tener una relación con el Dios inmutable y trasciende a cualquier revés que podamos enfrentar en la tierra. Aunque Melissa tenía que lidiar con la debilidad, los dolores y las náuseas causadas por sus tratamientos, nos reíamos mucho juntos. Aprendimos a disfrutar cada momento y a dar gracias siempre[7]. Cuando se le cayó todo el pelo, comencé a llamarla «mi hermosa calvita de ojos color café». Eso siempre la hacía reír. En serio, todas las veces. Con o sin pelo, para mí siempre estaba guapa, porque, por más atractiva que fuera, por dentro era incluso más bella. De hecho, mientras planeábamos nuestra boda y esperábamos nuestra vida juntos, Melissa me pareció todavía más preciosa.

Hablamos sobre involucrarnos en el ministerio juntos. Yo cantaría y ella, con el amor que sentía por el prójimo, se dedicaría al ministerio de mujeres y dirigiría grupos de estudios bíblicos. Parecía el plan perfecto para nosotros.

Melissa había estado estudiando para convertirse en maestra, y yo sabía que sería una docente asombrosa porque había observado cómo interactuaba con los niños y los jóvenes de la iglesia, cómo los abrazaba y les dedicaba esa sonrisa amplia que hacía que se sintieran como si les estuviera sonriendo exclusivamente a ellos. Estaba deseando verla con *nuestros* hijos. Hablábamos de tener hijos y, como cualquier pareja comprometida, nuestros sueños incluían pequeños correteando por la casa y carreras para llevarlos a actividades deportivas, recitales o cualquier otro interés que tuvieran.

A finales del verano del 2000, volamos a Indiana para asistir a la boda de Joey Bell, un amigo de la infancia con el que había estudiado en el colegio bíblico. Melissa había conocido a mis padres cuando habían ido a visitarme a California, pero era la primera vez que entraba en mi casa. Me pareció increíble compartir partes de mi pasado con ella y Melissa, como siempre, se ganó al instante el cariño de los amigos que le presenté.

La madre de uno de mis amigos tenía cáncer y, al igual que Melissa, estaba en pleno tratamiento de quimioterapia. Melissa fue a la casa de mi amigo para ayudar a cocinar sopa para su madre. Ella sabía mejor que nadie por lo que esa mujer estaba pasando y quería ponerse a su disposición y ayudar en todo lo que pudiera.

Mientras nos encontrábamos en Indiana, Melissa recibió una llamada de uno de sus médicos. El resultado de una prueba decía que Melissa tenía cáncer en el útero y el médico quería realizarle una histerectomía tan pronto como fuera posible. La noticia fue todo un mazazo. Si a Melissa le extirpaban el útero, no podríamos tener hijos.

Cuando regresamos a casa y nos reunimos con el médico, le dije que conseguiríamos que todo el país, que el mundo entero rezara por nosotros.

—Si decidimos seguir adelante con la operación y al abrir ve que el cáncer no ha tocado el útero, no se lo quitará, ¿verdad? —pregunté.

—Por supuesto que no —respondió. Aunque luego me miró fijamente y, para asegurarse que comprendiera la gravedad de la situación, agregó con seriedad—: Pero le hemos hecho las pruebas y está allí. Lo siento.

¡Señor y señora Camp!

Programamos la cirugía lo antes posible y llamamos a todos nuestros conocidos, pidiéndoles que hicieran correr la voz entre sus amigos para que todo el mundo rezara por Melissa. Las oraciones continuaron durante la operación.

Mientras caminaba de un lado a otro por los pasillos del hospital, solo podía rezar. *Dios, Tú eres el sanador. Hoy necesitamos de tu poder de curación. Por favor, ayuda a Melissa.*

Después de una espera más corta de la que habíamos previsto, la madre de Melissa vino corriendo hacia mí.

—¡Ha desaparecido! —exclamó—. ¡El cáncer se ha ido! ¡No le han quitado el útero!

Caí de rodillas en medio del pasillo.

—¡Gracias, Dios mío! ¡Gracias! —Llamé a mi familia y a tantos amigos como pude, emocionado por compartir la noticia—. ¡Dios la ha curado! ¡Lo hizo!

El cirujano dijo que no había encontrado rastros de cáncer en el útero. Cuando Melissa despertó de la anestesia y se enteró de las noticias, lloramos juntos. Todavía podíamos tener hijos.

Durante todo el tratamiento, Melissa se comportó como si supiera que iba a superarlo. En cuanto a mí, había querido con todas mis fuerzas que se recuperara, y había creído que podía hacerlo, pero no había tenido la certeza de que sucedería. Melissa lo había sabido. Una vez más, su fe me sorprendió e inspiró.

Melissa cumplió veintiún años el 7 de octubre. Catorce días después, nos casamos en Rancho Santa Fe, con mi padre oficiando la ceremonia.

Melissa estaba entusiasmada porque el pelo había empezado a crecerle a tiempo para la boda. Lo tenía un poco de punta e hicimos unas cuantas bromas al respecto, tal y como habíamos hecho cuando era mi hermosa calvita de ojos color café.

Estaba impresionante con su vestido de novia. Mientras avanzaba hacia el altar, acercándose a mí, su rostro era un reflejo de la paz y la alegría de Cristo. Melissa había escogido el blanco para los vestidos de todas las damas de honor, un símbolo de pureza.

Los novios son los protagonistas por antonomasia de una boda, pero nosotros queríamos honrar y glorificar a Dios en la nuestra. La dulce presencia del Espíritu Santo nos acompañó durante toda la ceremonia. Todos juntos cantamos «Dwelling Places» (Moradas), de Hillsong, que escogimos para expresar la profundidad de nuestro amor hacia Dios. Los versos del estribillo dicen: «I love You, I love You, I love You, and my heart will follow wholly after You» (Te quiero, te quiero, te quiero, y te seguiré con todo mi corazón).

La batalla de Melissa contra el cáncer hizo que la ceremonia fuera más emotiva todavía. Había querido invitar a todas las personas que conocía (casi seiscientos invitados) para que escucharan el evangelio que se leería durante la celebración.

En circunstancias normales, no habríamos podido pagar la clase de boda que seguramente había soñado Melissa, pero como todo el mundo la quería tanto, nuestros amigos se movilizaron para ayudarnos y ofrecernos lo que creo que para mi esposa fue la boda perfecta. Fue un día lleno de felicidad y Melissa disfrutó de cada minuto.

Nos alegró mucho la presencia de Jason Duff. El tiempo había curado las heridas, y aprecié el apoyo que nos demostró al asistir a nuestra boda.

Decidimos pasar dos semanas de luna de miel en Hawái, en una casa que sus tíos tenían en la playa. La primera semana tuvimos toda la vivienda para nosotros y la segunda, cuando sus tíos regresaron, nos quedamos en una especie de apartamento que había en el sótano. Los tíos de Melissa fueron otra bendición que nos cayó del cielo, ya que no habríamos podido costear dos semanas en Hawái con nuestros ingresos. También teníamos planeado ver a mi familia en Indiana durante otro par de semanas, así que pasaría casi un mes antes de que volviéramos a California.

Desde el momento en el que nuestro avión aterrizó en Oahu, el viaje empezó a parecernos una tregua. A medida que se acercaba la boda, Melissa había ido recuperando poco a poco las fuerzas y la luna de miel nos proporcionó el momento perfecto para estar a solas y olvidarnos de los tratamientos y las consultas médicas.

Comenzamos la luna de miel disfrutando del mero hecho de estar casados y de tener todo un futuro por delante. Caminamos por la playa y nadamos. Paseamos en bicicleta por la costa. Salimos a comer. Nos quedamos en casa y cocinamos juntos. Jugamos a las cartas y a juegos de mesa. En definitiva, hicimos lo que nos apetecía, estando todo el rato juntos. ¡Recuerdo la gracia que nos hacía cuando caíamos en la cuenta de que estábamos casados!

Todo lo que estaba viviendo (estar casado con Melissa, haber podido disfrutar de una luna de miel en Hawái a pesar de no tener el dinero suficiente para hacerlo) parecía un sueño.

Pero aunque estar en Hawái nos había proporcionado un respiro a los problemas de salud con los que Melissa había tenido que lidiar en casa, todavía tenía una sensación de inquietud en mi interior de la que no podía deshacerme por completo. Había momentos en los que la realidad de la situación de Melissa me preocupaba seriamente.

Experimenté uno de esos momentos estando solo en el salón. Mientras reflexionaba sobre la segunda carta a los Corintios 5:7: «Vivimos por fe, no por vista», sentí que Dios hablaba a mi corazón: *Sé que tienes miedo y que todavía hay muchas cosas que no entiendes. Pero no debes entenderlas ahora. Solo sigue confiando en Mí. Sé lo que estoy haciendo. Sé lo que estoy haciendo.*

Dios tenía razón; yo no sabía lo que sucedería. No tenía ni la más remota idea. Y aunque la salud de Melissa parecía haber mejorado, e incluso nos animábamos a decir que su cáncer estaba remitiendo, estaba asustado. Pero pensé en las palabras de Dios, que me animaban a seguir confiando en Él y recordé algunas de las razones de mi pasado que probaban que debía continuar haciéndolo. Con su aliento, Dios me había insuflado la vida, y siempre me había sido fiel.

Tomé mi guitarra y me hice dos preguntas: ¿Estoy dispuesto a creer en Dios cuando dice que Su mano me guiará en mi camino? ¿Recibiré sus palabras en cada momento del día?

De mi interior empezaron a surgir las palabras de la canción «Walk by Faith» (Vivir con fe):

(Estrofa 1)
Would I believe You when You would say / ¿Creeré en ti cuando me digas
Your hand will guide my every way? / que tu mano me guiará siempre?
Will I receive the words You say / ¿Recibiré tus palabras,
Every moment of every day? / en cada momento del día?

[Estribillo]
Well I will walk by faith even when I cannot see / Bueno, viviré con fe, aún cuando no pueda ver

Well because this broken road prepares Your will for me / Porque este camino roto me prepara para aceptar tu voluntad.

(Estrofa 2)
Help me to rid my endless fears / Ayúdame a librarme de mis temores incesantes
You've been so faithful for all my years / Has sido tan leal toda mi vida
With one breath You make me new / Haces que renazca con un solo aliento tuyo
Your grace covers all I do / Tu gracia envuelve todo lo que hago.

Yeah, yeah, yeah, yeah, yeah, yeah / Sí, sí, sí, sí, sí, sí.

[Estribillo]

[Puente]
Well I'm broken, but I still see Your face / Bueno, estoy destrozado, pero sigo viendo Tu cara
Well You've spoken, pouring Your words of grace / Has hablado, derramando Tus palabras de gracia.

[Estribillo, dos veces]

Well hallelujah, hallelu /Aleluya, aleluya
(I will walk by faith) / (Viviré por la fe)
Well hallelujah, hallelu / Aleluya, aleluya
(I will walk by faith) / (Viviré por la fe).

I will walk, I will walk, I will walk by faith / Viviré, viviré, viviré por la fe
I will, I will, I will walk by faith[8]*. / Viviré, viviré, viviré por la fe.*

Había estado leyendo la Palabra de Dios. Había escuchado lo que Él me había dicho. Melissa y yo teníamos fe. Pero ahora me encontraba en un punto en el que tenía que afrontar una pregunta crucial: ¿actuaré según esa fe? El estribillo respondía a esa pregunta con determinación: daba igual lo que nos deparara el futuro, seguiría al Señor donde me condujera.

Toqué y le canté la canción a Melissa.

—Es preciosa —dijo, y nos quedamos allí sentados en silencio. Creo que ambos sentimos la misma paz sabiendo que Dios nos estaba guiando y continuaría haciéndolo sin importar los desafíos a los que tuviéramos que enfrentarnos juntos.

Pocos días después, Melissa dijo que le dolía el estómago.

—Me siento rara —agregó—, como si lo tuviera hinchado. —En sus ojos pude ver una enorme preocupación.

—Quizá sea algo que has comido —le respondí. Durante el viaje habíamos estado probando platos muy diferentes a los que estábamos acostumbrados. Me senté en salón y empecé a ponerme nervioso. Esperaba que solo se tratara de una indigestión. Cuando alguien ha tenido cáncer, uno espera que el dolor lo provoque algo sin importancia, pero siempre existe el temor a que sea algo mucho peor.

Aun así, continuamos disfrutando de nuestra luna de miel. Aunque al haber desconectado por completo de nuestras rutinas diarias, tuvimos mucho tiempo para pensar. Había momentos en los que me quedaba a solas y volvía a pensar en lo que Melissa me había comentado sobre su estómago. Estaba nervioso y algunas noches me costaba conciliar el sueño.

Intenté no parecer preocupado, pero creo que Melissa notó mis temores e inquietudes. Y también me percaté de que ella se estaba preguntando qué estaba pasando dentro de su cuerpo. Sin embargo, los únicos desvelos que dejó entrever se referían a mí y no a ella.

—¿Te encuentras bien? —me preguntaba.

—Sí —le respondía, atónito porque estuviera pensando más en mí que en sí misma.

Capítulo 10

EN BUSCA DE ESPERANZA

Melissa y yo volamos de Hawái a Indiana. Habíamos organizado una pequeña recepción para aquellos que no habían podido viajar a California para nuestra boda, y también teníamos un amigo, que sí había podido asistir a nuestro enlace, que iba a casarse.

La temperatura ambiental era relativamente cálida para un otoño de Indiana. Mis padres estaban construyendo un nuevo camino de entrada a su casa y todos los miembros de la familia pisamos descalzos el cemento húmedo. ¡No hay una mejor bienvenida a la familia que permitir a una recién casada dejar sus huellas en la entrada de la vivienda de sus suegros! Junto a las huellas escribimos el versículo 52:7 de Isaías, que reza: «¡Qué hermosos son, sobre los montes, los pies del que trae buenas nuevas; del que proclama la paz, del que anuncia buenas noticias, del que proclama la salvación, del que dice a Sión: "Tu Dios reina"!».

Mi madre estaba ayudando con los preparativos de la boda de mi amigo, y Melissa quería echar una mano. Pero no se encontraba bien, y mi madre hizo todo lo posible para que no se esforzara demasiado. Le dijo que debía descansar porque lo más probable era que estuviera exhausta por los tratamientos y la organización de la boda, así como por los cambios de hora tan drásticos al haber viajado, primero a Hawái, y después al Medio Oeste.

Sin embargo, mis padres estaban preocupados, y les dije que concertaría una cita con el médico de Melissa tan pronto regresáramos a California. También les comenté lo ilusionado que estaba por regresar a casa. Melissa ya había preparado nuestro apartamento y por fin, un mes después de la boda, podríamos irnos a vivir a nuestro nuevo hogar.

Cuando regresamos a casa, pedí cita con el médico de Melissa. Faltaba poco para el Día de Acción de Gracias, y Heather había venido a visitar a su familia. Tiempo después me confesó que, en un momento en que se quedó a solas con Melissa en la habitación, se dio cuenta de que su hermana no se encontraba bien.

—¿Qué te pasa? —le preguntó Heather.

Melissa se levantó un poco la camiseta, tomó la mano de Heather y se la pasó por el estómago. Mi cuñada pudo sentir los bultos de los tumores por todo el abdomen de su hermana. Entonces ambas se pusieron a llorar y rezaron juntas para que Dios curara lo que fuera que tuviera Melissa.

Cuando el médico la examinó, dijo que tenía una acumulación de fluidos en el estómago que había que drenar. Durante la intervención, le sostuve la mano con fuerza y me sentí impotente al ver las expresiones de dolor que se dibujaban en su rostro. Fue una experiencia muy dura. El médico hizo que analizaran los fluidos, y cuando recibió los resultados, entró en la habitación de Melissa y pidió hablar a solas conmigo en el pasillo.

Ay no, pensé mientras me levantaba de la silla y caminaba hacia la puerta.

—¿Qué sucede? —le pregunté en cuanto salí de la habitación antes de que tuviera la oportunidad de iniciar la conversación. Me miró con un brillo de compasión en los ojos. Sabía que estábamos recién casados.

—Me temo que el cáncer está… bueno, en todas partes —me informó—. Ha regresado y la metástasis se ha extendido a otras zonas del cuerpo. Lamento tener que decirle esto.

La noticia me golpeó como un puñetazo, aunque la sentí más como un llamada de atención que como un golpe final. Después de haber escrito «Walk by Faith», todavía tenía una mentalidad de «vamos a poder con esto». Ya habíamos recibido malas noticias antes y Melissa se había curado, así que estaba listo para poner en marcha un plan de acción que abordara este problema.

—De acuerdo, ¿y qué es lo que hacemos ahora? —pregunté al médico.

Él no respondió de inmediato, solo me miró fijamente a los ojos de una forma que no me gustó.

—No, mire —dijo lentamente—, no hay nada más que podamos hacer.

—¿A qué se refiere? —quise saber.

—Hay muy pocos tratamientos alternativos, Jeremy. Lo más probable es que solo le queden meses o incluso semanas de vida.

No sé cómo terminó la conversación. Lo siguiente que recuerdo es que me encontraba a solas en el pasillo y que necesitaba recomponerme tan rápido como fuera posible. Luego entré en la habitación para contarle todo a Melissa.

Como el médico me había hecho salir al pasillo, ella debía de haberse dado cuenta de que las noticias no eran buenas. Noté que había estado llorando, y ella vio en mis ojos que yo había hecho lo mismo.

Me senté junto a su cama y repetí lo que el médico me había dicho. Ambos comenzamos a llorar. Ella intentó consolarme, pero no hablamos mucho mientras esperábamos que le dieran el alta.

Mientras conducía de regreso a casa, me encontraba en un estado de incredulidad total y no recuerdo nada de lo que hablamos hasta que me dijo algo que, todavía hoy, puedo oír saliendo de su voz clara y cristalina:

—Quiero que sepas que no pasa nada si encuentras a otra persona después de que me haya ido. No quiero que esperes demasiado. No tienes que llorarme durante mucho tiempo.

No lograba comprender por qué me estaba diciendo eso.

—Estamos en medio de una batalla —le dije—. Voy a seguir luchando.

No era que Melissa hubiera elegido dejar luchar, pero ya estaba aceptando la realidad de su enfermedad y mirando hacia adelante para ayudarme con lo que me esperaba en el futuro.

Llamé a mis padres para informales del diagnóstico del médico.

—¿Hola? —respondió mi madre.

Traté de hablar, pero no pude. Volví a intentarlo, pero fue en vano.

Mi madre colgó. Esperé algunos segundos para recomponerme y marqué el número de nuevo, pero nadie respondió.

Llamé a mi hermana.

—¿Hola? —respondió ella.

Una vez más, intenté hablar, pero no pude. April colgó y volví a llamarla.

Ella respondió de inmediato, pero seguí sin poder emitir palabra. Mi hermana volvió a colgar.

Llamé una tercera vez.

—Por favor, no cuelgues. —Fue lo único que logré murmurar cuando respondió.

April se mantuvo en línea. A mí me costaba hablar.

—Me acaban de avisar —dije— de que a Melissa le quedan algunos meses o incluso semanas de vida.

Conté a April que había intentado llamar a nuestra madre y que ella había colgado. Que la había vuelto a llamar y no había respondido. Mis padres no tenían teléfono móvil, pero mi hermana me comentó que habían salido a hacer un trámite en el banco y que trataría de ponerse en contacto con ellos. April llamó al banco, y cuando la secretaria del director de la sucursal entró a su despacho y dijo a mi madre que su hija estaba al teléfono, el corazón le dio un vuelco. Sabía que tenía que haber sucedido algo terrible para que April la hubiera llamado allí. Mi hermana le contó lo que yo le había dicho y mis padres salieron del banco de inmediato para llamarme.

—Vamos para allá —me dijo mi madre—. Haremos lo que sea necesario para llegar allí.

—No, no vengáis todavía —les respondí—. Quiero averiguar si nos pueden dar alguna otra solución para Melissa. Y luego veremos qué podemos hacer. Ni siquiera sé si nos quedaremos aquí, así que esperad.

Luchar, creer y rezar

Desde el principio quedó claro que no lucharíamos solos. Nos habíamos pasado los últimos meses pidiendo a tantas personas como pudimos que rezaran por Melissa. Después de recibir las malas noticias del médico, volvimos a apelar a nuestra red de oración.

Pastores y amigos comenzaron a venir a nuestro apartamento para rezar por Melissa y ungirla con aceite. Durante algunas de esas visitas, compartimos momentos de oración y alabanza muy poderosos. Nos enteramos de que amigos y parientes que vivían lejos de nuestro vecindario rezaban y esperaban una pronta recuperación.

Aunque el diagnóstico de que su cáncer había regresado nos había supuesto un golpe muy duro, confiábamos absolutamente en que el Señor la sanaría. Yo lo pasaba fatal al verla sufrir de dolor, así que deseaba que se curara lo antes posible.

«Por favor, Dios», suplicaba. «Cura a Melissa».

Mi madre me llamaba casi todos los días para leerme un pasaje de las Escrituras que Dios la había animado a compartir con nosotros. Los versículos estaban cargados de aliento, exhortación y consuelo. Nos recordaban la bondad de Dios durante tiempos difíciles y mencionaban el ejemplo de los santos que habían caminado sobre brazas y salido de ellas fortalecidos en su fe.

También recibimos bendiciones en forma de ayuda económica. Debo dar las gracias especialmente a Joey Buran. Joey era un surfista del Salón de la Fama conocido como «California Kid», que se había convertido en pastor en la Calvary Chapel Costa Mesa. Acababa de fundar un grupo juvenil llamado Worship Generation. Toqué en algunos de los eventos organizados por Joey, y nos volvimos grandes amigos.

Cuando Joey se enteró de que el cáncer de Melissa había regresado y se había extendido, empezó a contar la historia de mi esposa a los miembros de su congregación y a través de un programa de radio en directo de Worship Generation. Invitó a los oyentes a que nos enviaran dinero y dio a conocer nuestra dirección de correo electrónico. A partir de ese momento, amigos e incluso personas que no conocíamos comenzaron a enviarnos cheques y cartas de aliento.

Gracias a esas donaciones, pude cancelar algunos conciertos programados y participaciones en servicios religiosos para poder pasar más tiempo con Melissa. Tenía que llevarla al hospital cada tres días para que le drenaran el estómago. Se le acumulaban tantos líquidos que en algunas de esas visitas le drenaron hasta siete litros.

Odiaba esas sesiones porque era un procedimiento muy doloroso para ella. Cuando veía las muecas en su rostro y escuchaba sus gemidos suaves, prácticamente suplicaba a Dios que la curara en ese mismo instante para que cesara el sufrimiento. Me sentía impotente al presenciar cómo padecía mi esposa y yo no poder hacer nada al respecto. Sabía que estar a su lado era una gran ayuda para ella, pero me sentía un completo inútil cuando presenciaba lo mal que lo pasaba.

El dolor continuaba incluso cuando regresábamos a casa. Melissa era fuerte e intentaba no concentrarse en su sufrimiento, pero recuerdo una noche cuando estaba acostada en el sofá del salón, gimiendo de dolor.

—¿Puedes tomar tu guitarra para que recemos juntos? —me preguntó.

La pregunta me resultó inesperada, pero la agarré al instante y me senté junto a ella. Cantamos una canción llamada «Good to Me» (Bueno para mí).

Hay una parte de la canción que repite varias veces «for You are good» (porque Tú eres bueno). Había estado cantando con la cabeza inclinada y los ojos cerrados, y mientras entonaba esa frase, levanté la mirada y vi a Melissa. débil y dolorida, cantar con las manos en alto hacia el Señor. Las siguientes palabras se me quedaron atoradas en la garganta, porque me desmoroné ante su fe inquebrantable.

Sin importar cuánto sufriera, Melissa continuaba alabando al Señor. La escuchaba decirle a Dios: «Tú eres bueno. En medio de las dificultades y el dolor, Tú eres bueno. Nuestro presente no tiene sentido, pero Tú eres bueno». Eso me recordó lo que tantas veces había oído decir a mi padre durante mi infancia: «La vida es difícil, pero Dios es bueno».

Sabíamos que Dios podía curarla al instante o dirigiéndonos a los médicos y tratamientos adecuados. Además de todas nuestras oraciones, intentamos tratamientos de medicina alternativa tales como cambiar la dieta de Melissa, beber zumo de zanahoria y sopas de ajo y otros alimentos que se creía combatían el cáncer.

Investigamos tratamientos alternativos en México. Visitamos unas instalaciones destartaladas en Tijuana que ofrecían limusinas para transportar a pacientes cuyas terapias no habían tenido éxito en los Estados Unidos. Allí las enfermeras vestían todas de blanco y llevaban cofias con cruces rojas. Le dieron unos medicamentos que no podíamos conseguir en casa y luego cruzamos la frontera para que a Melissa volvieran a drenarle el abdomen.

También volamos a Houston, Texas, para visitar el hospital MD Anderson Cancer Center.

Cuando llegamos a Houston, llamé a mi madre.

—Está siendo muy duro porque está muy débil —dije—. Hemos tenido que conseguirle una silla de ruedas.

Éramos optimistas y esperábamos que uno de los mejores hospitales del país para el tratamiento del cáncer nos diera un diagnóstico positivo. Los médicos del MD Anderson nos brindaron un poco de esperanza. Nos informaron que el cáncer de Melissa estaba en estadio III en lugar de IV. También nos dijeron que, si bien había recibido el tratamiento adecuado en California, lo habían interrumpido demasiado pronto. Nos recomendaron que les pidiéramos a los médicos que reiniciaran el tratamiento y que eso quizá marcara la diferencia. También nos hablaron de pequeños detalles que podíamos hacer para ayudarla, como aumentar su ingesta de proteínas.

Pero después de regresar de Houston, Melissa comenzó a perder peso con mucha rapidez.

Al no poder retener los alimentos, tuvo que pasar la Navidad en el hospital. A su hermana Megan tuvieron que operarla de urgencia el día de Navidad, y su familia consiguió que las pusieran en la misma habitación. Melissa había estado muy triste por tener que pasar esas fiestas en el hospital, pero cuando Megan se convirtió en su compañera de habitación, su familia colocó algunos adornos y creó un ambiente navideño.

Sin embargo, cuando salió del hospital, el intervalo de tiempo entre los espantosos drenajes se redujo. Su dolor aumentó tanto en intensidad como en frecuencia.

Yo estaba intentando ser fuerte por ella, pero me resultaba muy difícil. A veces, cuando sabía que Melissa no podía oírme, llamaba a mis padres.

En cuanto uno de los dos respondía a la llamada, me ponía a llorar.

—Esto es tan duro —decía.

Consideraba que estaba luchando junto a Melissa. Quería servirle de aliciente. Pero había momentos en los que pensaba: *No puedo continuar. Es demasiado, es muy doloroso.*

Pero en cada uno de esos momentos, Dios me enviaba su fortaleza y eso me permitía continuar luchando. Melissa también parecía saber lo que necesitaba porque me sugería: «Adoremos al Señor». Para ser honesto, muchas de las veces en las que me decía eso, rezar era lo último que me apetecía hacer. Pero cuando ella me lo pedía, yo tomaba mi guitarra, cantaba junto a ella y alababa a Dios por toda su bondad. Una y otra vez, Dios utilizaba nuestro momento de oración para renovar la fortaleza que solo Él podía brindarnos.

Continuamos depositando nuestra fe en Dios. Todavía hablábamos de nuestro futuro e incluso seguíamos soñando con tener niños correteando por nuestro hogar. Un amigo nos regaló un libro ilustrado para niños como gesto de esperanza, y nos aferramos a él como una señal que nos alentaba a imaginar días mejores.

Capítulo 11

«ES LA HORA»

No cantaba mucho mientras Melissa estaba enferma porque quería estar con ella tanto como me fuera posible. No queríamos perder ni un instante que pudiéramos compartir, así que en las pocas ocasiones en las que participaba en algún evento, Melissa me acompañaba cuando podía hacerlo.

La congregación Horizon Christian Fellowship me había pedido que asistiera a su encuentro de fin de año en el centro de convenciones de San Diego. En ese momento, Melissa apenas podía caminar, pero quería ir conmigo en su silla de ruedas. El simple hecho de estar allí le exigía un gran esfuerzo.

El programa de esa noche incluía mi primera interpretación en público de «Walk by Faith». Compartí con la audiencia la historia que había detrás de la canción: que hablaba de Melissa, que la había escrito durante nuestra luna de miel y todo lo que nos había sucedido desde entonces.

Empecé a cantar, pero en realidad no estaba sintiendo las palabras que decía. Espero que no parezca que no me tomaba en serio la canción, porque no fue el caso. Es una canción profunda que me llegó en un momento en el que Dios me estaba inspirando, y creo que me ofreció esas palabras para que Él pudiera llegar a otros a través de mi música. Durante la última década, centenares de personas me han transmitido lo mucho que esta pieza las ha ayudado. Sin embargo, esa noche tenía demasiadas preocupaciones en la cabeza debido a la salud deteriorada de Melissa.

Ella estaba sentada en una silla de ruedas en el lateral izquierdo del escenario. Cuando me acercaba al final de la canción y entonaba los aleluyas, la busqué con los ojos. Se la veía muy delgada, con el rostro demacrado. Sabía lo débil que se encontraba. Pero allí estaba ella, con las manos en alto, cantando con todas las fuerzas que le quedaban: «Aleluya»; nuestra traducción del hebreo para «Alabad al Señor».

Estaba teniendo la misma clase de momento íntimo con el Señor que me llamó la atención la primera vez que la vi en el grupo de estudios bíblicos de Palomar College. Desde entonces, la apariencia externa de Melissa había cambiado de forma drástica. Pero, a pesar de todo lo que le había sucedido, su fe en Dios no se había debilitado. Al contrario, se había fortalecido.

Cuando la vi alabando al Señor, sentí cómo el Espíritu Santo me atravesaba como un vendaval. El poder que sentí en ese escenario fue increíble. Fue otro impulso de energía que llegó justo cuando más lo necesitaba.

Muy bien, pensé, *sigamos adelante.*

Sin embargo, poco tiempo después, llegó el día que más había temido y en el que había intentado no pensar. Melissa requería atención las veinticuatro horas del día y teníamos que hospitalizarla.

Su madre y su hermana Heather me habían ayudado a cuidar de ella. Incluso habíamos contado con ayuda externa. Durante un par de semanas, Melissa había necesitado un cuidado constante. Se deshidrataba con facilidad, así que teníamos que cambiar la bolsa de suero. El pitido del equipo me despertaba en mitad de la noche para alertarme de que había que cambiarle la cánula para mantenerla hidratada. También solía despertarme solo para asegurarme de que se encontraba bien, así que estaba descansando poco.

Lo que probablemente me resultó más difícil de soportar fue el sufrimiento de Melissa. Los dolores eran más intensos y frecuentes. Tenía un analgésico para administrarle, pero si el dolor se volvía insoportable antes de que le pusiera la inyección, era demasiado tarde para que el medicamento surtiera efecto. En una ocasión se despertó muy dolorida y no logré inyectarle el analgésico a tiempo. Fue una de las peores noches de mi vida, verla sufrir de ese modo y sentir que era culpa mía, que le había fallado. Tuvo días muy difíciles y otros en los que el dolor hacía que se mostrara irritable, como era comprensible. Pero nunca la oí quejarse o cuestionar a Dios.

Permanecía a su lado todo el tiempo, pero había veces en las que me miraba con los ojos llenos de amor y me decía: «Necesito pasar un rato a solas con el Señor». Como no quería salir del apartamento en el caso de que me necesitara, me metía en el baño y rezaba.

¡Dios, en serio! Tienes que hacer algo, llévatela contigo, acaba con este dolor o cúrala. Pero no la dejes en este limbo…

Sin embargo, el dolor de Melissa no solo no desaparecía sino que cada vez era más frecuente, y en casa ya no podíamos dispensarle el cuidado que necesitaba. Ingresarla en el hospital fue como un paso hacia un desenlace del que no podríamos escapar. Era terriblemente descorazonador saber que, si Dios no obraba una curación milagrosa, Melissa y yo nunca volveríamos juntos a casa.

Melissa no llevaba más que unos pocos días en el hospital cuando empeoró de manera considerable. Uno de los médicos dijo que haría todo lo posible para «mantenerla cómoda». No me gustó cómo sonó esa frase. Pareció como si el médico se estuviera rindiendo. Agotado y frustrado como estaba, me enfadé con él y le grité a la cara:

—¡No, no nos vamos a quedar de brazos cruzados! ¡Rezaremos por ella hasta el último día, confiaremos en el Señor y no nos rendiremos! ¡Creemos que Dios puede curarlo todo, y no me rendiré!

Otro médico (no recuerdo si fue el mismo) le dio un libro a Melissa. Oí como le decía que el libro la ayudaría a prepararse para la partida de este mundo. Cuando el médico salió de la habitación lo detuve.

—Oye, no le des ese libro para decirle prácticamente que está al borde de la muerte —le espeté—, porque seguiremos teniendo esperanza hasta el último día. *No* vuelvas a hacer nada parecido.

—Mire —me respondió el médico con calma—, tiene que aceptar lo que le está pasando. Debe enfrentar la realidad.

—La realidad —respondí—, es que Dios todavía puede curarla.

Seguía creyendo que Dios podía obrar una recuperación en Melissa y no dejaba de rezar por ello. Mientras Melissa dormía, me sentaba a su lado, la miraba y observaba los monitores que controlaban hasta el cambio más ínfimo, ya fuera para bien o para mal. Y luego rezaba una y otra vez: *Dios, por favor, cúrala. Cura a mi esposa.*

Me tumbaba sobre el suelo de baldosas de la habitación de Melissa, con una almohada y una manta y me quedaba dormido. No quería dejarla sola, pero a veces bajaba a la capilla del hospital y dormía allí porque tenía bancos acolchados.

Nuestras familias nos acompañaban todo el tiempo, así como un flujo constante de amigos que entraban y salían de la sala de espera, nos traían flores y cartas de ánimo y rezaban por nosotros. Tal y como había hecho toda su vida, Melissa continuó preocupándose primero por los demás. Saludaba a los que venían a visitarla y les preguntaba cómo se encontraban. Tomaba sus manos, las sujetaba con tanta fuerza como podía, les sonreía y se aseguraba de que entendieran cuánto los apreciaba, y no solo porque hubieran ido a visitarla.

Melissa siempre había tenido la habilidad de saber cómo y cuándo animar a los demás. Una mañana, cuando mis padres la estaban acompañando, les dijo:

—Quiero que sepáis lo mucho que os quiero. Sois los suegros que siempre pedí en mis oraciones, y el Señor os trajo a mi vida.

Le encantaban las rosas, sobre todo las amarillas y las rojas. Su habitación siempre parecía estar llena de nuevos ramos que le iban trayendo. Melissa regalaba una rosa a cada persona que la visitaba, y luego rezaba por ellas. También pedía a sus familiares que llevaran rosas a otros pacientes que había conocido. Su padre pudo rezar a diario con otros pacientes gracias a las rosas que ella les mandaba.

A Melissa le seguía gustando cantar. Sus amigos iban con guitarras a su habitación para cantar canciones de alabanza y ella les acompañaba. Un día en que se sentía especialmente cansada, la miré y le dije:

—Lo lograremos.

Ella comenzó a cantar con suavidad:

—Jesús me ama, lo sé. —Mientras cantábamos juntos el resto de la canción, levantó los delgados brazos todo lo que le permitieron sus fuerzas, aunque no tan alto como antes. Un minuto o dos después de cantar la canción, se quedó dormida.

El período que Melissa estuvo en el hospital todavía me resulta muy confuso, pero creo que estuvimos allí durante aproximadamente dos semanas. Llegó un momento en que, como su estado seguía empeorando, la trasladaron a la unidad de cuidados intensivos para que recibiera la atención médica necesaria. A los pocos días de su traslado, comenzó a perder la consciencia de manera intermitente. Los momentos en los que estaba despierta eran cada vez menos frecuentes, pero el personal del hospital logró contener su dolor aumentándole la dosis de los medicamentos. Ver que Melissa sufría menos me supuso un alivio y me hizo lamentar aún más el haberme enfrentado al médico que había dicho que mantendrían a Melissa más cómoda.

Melissa rezaba con cada médico antes de cada inyección o procedimiento al que la sometían. Una de las enfermeras se percató de la fe de Melissa y de aquellos que la rodeábamos. Al ver cómo orábamos y oír las canciones de alabanza, sintió la paz que reinaba en la habitación de Melissa y se dio cuenta de que había algo que le faltaba en su vida.

Melissa había estado rezando por la enfermera y nos había pedido a quienes estábamos a su lado que hiciéramos lo mismo. Un día, el padre de Melissa rezó con la enfermera, y ella pidió a Jesús que entrara en su corazón y se convirtiera en su Señor y Salvador.

Si fuera a morir por este cáncer y solo una persona aceptara a Jesús por ello, entonces habría valido la pena.

A Melissa ya no le quedaban muchas fuerzas cuando le hablaron de la conversión de la enfermera, pero lloró cuando se enteró de que su sufrimiento había servido de algo. Creo que esa confirmación fue un regalo maravilloso de Dios, como si le hubiera dicho: *He hecho realidad lo que deseabas. Quería que vieras* cómo sucedía.

—¿Recuerdas a esa «sola persona»? —pregunté a Melissa—. Este es solo el comienzo. Habrá muchas más.

Con Jesús

Una noche, mientras Melissa dormía, sentí que el Señor quería que me llevara la guitarra a una sala de espera contigua y leyera los Salmos, un libro que me había consolado en muchas ocasiones. Los salmos de David revelan la cruda honestidad con la que vuelca su corazón a Dios. Hay un claro tema subyacente en sus salmos: primero le cuenta a Dios sus dificultades y sufrimientos, después le pregunta el porqué de esas dificultades y al final declara su absoluta confianza en Dios y en Su amor y misericordia inagotables.

Comencé a leer y sentí que Dios me guiaba hacia el salmo 119, donde los versículos 153 a 154 dicen: «Considera mi aflicción, y líbrame, pues no me he olvidado de tu ley. Defiende mi causa, rescátame; dame vida conforme a tu promesa».

«Dame vida». Eso es lo que yo necesitaba: revivir. En esa sala vacía escribí la canción «Revive Me».

(Estrofa 1)
Consider my affliction and please deliver me / Mira mi aflicción y, por favor, libérame
Plead my cause and redeem me / Aboga por mi causa y redímeme
Salvation is not for the wicked / La salvación no es para los malvados
For they don't seek Your word / Porque ellos no buscan tu palabra
Great are Your tender mercies, Lord. / Señor, grandes son tus actos de tierna misericordia

[Estribillo]
Revive me, according to Your loving-kindness / Revíveme, según tu amorosa bondad
Revive me, that I may seek Your Word / Revíveme, para que pueda buscar tu Palabra
Revive me, according to Your loving-kindness / Revíveme, según tu amorosa bondad
Revive me, oh Lord. / Oh, Señor, revíveme.

(Estrofa 2)
You give me understanding according to Your Word /Me brindas comprensión según tu Palabra

Great peace for those who seek Your face / Otorgas una enorme paz a los que buscan tu rostro
I long for salvation / Anhelo la salvación
My lips shall praise Your name / Mis labios alabarán tu nombre
I rejoice in the treasure of Your keep. / Me regocijo en el tesoro de tu sustento.

[Puente]
For all my ways are before You / Porque todos mis caminos están delante de Ti
I let Your hand become my help / Dejo que tu mano se convierta en mi guía
My soul longs and adores You / Mi alma te anhela y te adora
Let my cry come before You, oh Lord[9]. / Oh, Señor, deja que mi clamor llegue a Ti.

Después de escribir las últimas palabras, regresé a la habitación de Melissa. Estaba despierta, así que le pregunté si podía cantarle la canción. Al final, a ambos se nos llenaron los ojos de lágrimas.

—Es preciosa —dijo.

—Dios nos la acaba de regalar —le respondí.

En las horas posteriores, el cuerpo de Melissa empezó a reaccionar cada vez menos. Nos dimos cuenta de que se estaba apagando, de que se acercaba su hora.

Nos congregamos unas diez personas en su habitación, todavía llorando y rezando para que se curara. Habían pasado varias horas desde que había respondido por última vez a algún estímulo. Mike MacIntosh, un pastor amigo de la iglesia Horizon, se me acercó y me susurró:

—Creo que deberías hacerle saber que todo va a ir bien, que puede irse con el Señor.

Respondí a Mike con un breve gesto de asentimiento, me arrodillé junto a Melissa y me acerqué a su oído:

—Está bien, amor. Estaremos bien. Ve con el Señor.

Algunos minutos más tarde nuestras madres comenzaron a cantar. De pronto, Melissa se incorporó sobre el colchón y les tapó a ambas la boca con las manos, como si estuviera diciendo: «¡No, todavía no me voy!». Se inquietó mucho y se revolvió entre las sábanas. Todos nos pusimos a rezar. Melissa movió las piernas y nos pidió que bajáramos la barandilla de la cama porque quería ponerse de pie.

Le dijimos que no podíamos hacerlo, pero entonces todos empezamos a entender que quizá Dios la estaba curando y le hicimos caso al instante. Melissa bajó las piernas de la cama, se puso de pie y me miró a los ojos.

—Ha desaparecido —anunció—. ¡Ha desaparecido!

Yo no sabía cómo reaccionar.

—Jeremy, tienes que creerme. ¡Ha desaparecido!

Confundido, le pregunté a qué se refería.

—¿Estás curada?

—Sí —respondió—. Ha desaparecido por completo.

La habitación estalló en vítores. Abracé a Melissa. Mi hermano Jared nos abrazó a ambos. Nuestras madres comenzaron a saltar de alegría y también se abrazaron. Todos continuamos regocijándonos y agradeciendo a Dios el milagro.

Melissa se lanzó hacia adelante e intentó caminar, y se habría caído si un amigo no la hubiera atrapado a tiempo. Dijo que necesitaba ir al baño. Le recordamos que no podía porque tenía un montón de cables conectados a su cuerpo y que tendría que esperar. La ayudamos a regresar a la cama y ella se recostó con una expresión de paz absoluta en el rostro.

Salí de la habitación y empecé a llamar a amigos para contarles lo que acababa de suceder.

—Creo que tal vez Dios la ha curado.

Melissa durmió de manera intermitente durante ese día. En algunos momentos se sentaba y hablaba. Tenía los ojos vidriosos, y todos pensamos que se debía a la medicación. Esperábamos que volviera a ser ella misma en cuanto se pasara el efecto. La habitación se llenó de energía.

Cuando estaba despierta y podía hablar, conversábamos durante tanto tiempo como podíamos antes de que volviera a dormirse. Cuando estaba dormida, yo salía al pasillo o daba un paseo maravillado ante la posibilidad de que mi Melissa se hubiera curado.

Pero en el lapso de unas pocas horas su cuerpo volvió a dejar de reaccionar como debería. Sus signos vitales empeoraron cada vez más y se la veía incluso más débil que antes.

Estaba confundido. ¿Se había curado o no? Volví a la sala de espera de la habitación contigua, devastado. Me tumbé bocabajo en el suelo y grité: «Señor, ¿qué está pasando?».

Ne quedé en el suelo, sollozando y exigiendo respuestas a Dios.

Entonces sentí la presencia de alguien, levanté la mirada y vi a un amigo en el umbral de la puerta.

—Jeremy —dijo con un tono de voz sombrío—, es la hora.

Me levanté del suelo y empecé a recorrer lo que me pareció un camino interminable hacia la habitación de Melissa. Mi hermano y mis padres se pusieron a mi lado.

Jared, que tenía una mirada de dolor en los ojos, se detuvo y me abrazó. Luego se puso a llorar.

—No se ha terminado —dijo Jared—. Todavía no se ha ido.

Avanzamos un par de pasos más hacia la habitación cuando, por alguna razón, un pensamiento me asaltó: Jared era apenas un adolescente que estaba madurando espiritualmente, y este podía ser un momento crucial para su fe en Dios. Quería ofrecerle mi confianza para caminar con Cristo.

Sujeté a Jared y lo miré directamente a la cara.

—Pase lo que pase —le dije—, nunca dejes de servir a Jesús. El hecho de que vivamos en un mundo enfermo y sumido en el pecado no significa que Él no tenga el control.

Jared asintió.

Sentí que me temblaban las piernas mientras caminaba hacia la habitación. Excepto por la música de alabanza que estaba sonando en el reproductor de CD, la habitación estaba sumida en el silencio. Me acerqué a Melissa y me tumbé junto a ella en la cama. La abracé.

—Te amo —le dije.

A las doce y cinco de la madrugada del lunes, cinco de febrero del 2001, Heather susurró:

—Ahora está con Jesús.

Caí de la cama al suelo, donde me hice un ovillo. La familia de Melissa comenzó a rezar, elevando las manos, acompañada por la música del

CD. Instantes después, mi madre también empezó a cantar, seguida por mi padre y por otros miembros de ambas familias.

Yo no quería cantar. Solo quería quedarme acurrucado en el suelo y llorar.

Pero entonces escuché la voz de Dios en mi interior: *Quiero que te pongas de pie y me alabes.*

¡Ay, Dios, no! Ahora mismo lo que menos me apetece es ponerme de pie y rezar. ¡No me quedan fuerzas!

Mi madre, con voz firme pero tierna, me susurró:

—Cariño, tienes que alzar las manos y alabar al Señor.

Sabía que *debía* confiar en Dios, que incluso en los momentos más dolorosos y devastadores, Él merecía que lo adoraran. Poco a poco me puse de rodillas, y luego mis padres me ayudaron a levantarme. Comencé a cantar y alcé las manos junto con los demás alrededor de la cama de Melissa.

Jamás había sentido la presencia de Dios de una manera tan poderosa como en ese momento. El cuerpo de Melissa yacía sin vida delante de nosotros, pero yo sabía que su alma estaba alabando a su Señor y Salvador. Ella se encontraba en presencia de su Rey, libre de dolor y sufrimiento.

Todos habíamos recorrido un largo camino hasta llegar allí. Un camino que nos había consumido física y emocionalmente. No me veía con las fuerzas necesarias para andar por mí mismo, así que me apoyé en mi padre y en un amigo, y ellos me ayudaron a salir de la habitación de Melissa.

Tiempo de confiar

Esa mañana, cuando desperté en nuestro apartamento, lo primero que pensé fue: *Ahora me llamarán para decirme que se ha recuperado y que está viva.* Se lo conté a mi madre, y ella me confesó que había tenido un pensamiento similar.

Habíamos tenido tanta fe en que Melissa se curaría, nos habíamos aferrado a pasajes bíblicos repletos de promesas que creíamos que significaban que su mejoría era posible.

Poco después de que Melissa se levantara de la cama del hospital y anunciara que el cáncer había desaparecido, su hermano, Ryan, me había preguntado si creía que Dios la había curado. No recuerdo las palabras exactas de su siguiente pregunta, pero sí su significado: Dios no sería tan cruel como para darnos falsas esperanzas, ¿verdad?

—De ninguna manera —había respondido a Ryan.

Pero Melissa volvió a acostarse en esa cama y nunca más se levantó. «¿Por qué hiciste eso?», pregunté al Señor. «¿Por qué nos diste esa esperanza? ¿Por qué permitiste que albergáramos la ilusión de tener niños? Habíamos empezado a hablar de eso y creíamos que sería posible cuando no le hicieron la histerectomía.»

Sentí que Dios me decía: «Te di esa esperanza porque no quería que te casaras pensando que no tendrías niños».

En cierta manera, lo comprendí.

Pero luego volví a preguntarle: «¿Por qué dijo Melissa que se había curado? ¿Por qué has permitido que eso sucediera?».

Comencé a darme cuenta de que quizás, en ese momento, ella sí que se estaba curando, solo que de una forma distinta a como yo había rezado y había creído y esperado. Se estaba curando como Dios había querido. Creí que Dios había dejado entrever a Melissa que el cáncer y todo el dolor y el sufrimiento habían terminado mientras ella entraba en la vida eterna.

Sin embargo, el hecho de haber creído que Melissa sanaría en la tierra me planteaba un conflicto interno.

En ese momento solo necesitaba hacer una cosa, y existe una palabra muy simple para describirla: *confiar*.

Capítulo 12

¿POR QUÉ?

¿Qué haces cuando tu mejor opción es confiar en alguien, pero en ese momento de tu vida no tienes la capacidad de hacerlo por completo? ¿Y qué sucede cuando descubres que solo porque confíes en Dios no significa que todo vaya a ir bien y que nunca pasará nada malo?

Ese era el estado de confusión en el que me encontraba con el Señor tras el fallecimiento de Melissa. Después del funeral, regresé a Indiana para pasar tiempo con mi familia. Necesitaba salir de nuestro apartamento y de la costa oeste y alejarme de todo lo que me recordaba a mi mujer.

En realidad, no habíamos tenido la oportunidad de llevar una vida normal después de la boda, y apenas habían pasado cien días desde que nos habíamos dicho «hasta que la muerte nos separe», así que no estaba preparado para comenzar una nueva vida sin ella. Era viudo con veintitrés años. Un estado que me costaba mucho asimilar.

El término que más se acerca a describir cómo me sentía es aturdido. El mero hecho de levantarme cada mañana requería un esfuerzo enorme. Si hubiera podido quedarme en la cama, tapado hasta las orejas, para evitar afrontar esa sensación de desconcierto, lo habría hecho. Aunque sé que esa confusión también habría terminado abriéndose camino entre las sábanas. Estaba en todas partes.

Tampoco es que me hubiera olvidado de pronto de todas las cosas buenas sobre Dios que he mencionado a lo largo de este libro. Agradecía que hubiera puesto a Melissa en mi vida. Agradecía la fortaleza que me había otorgado, que era la única razón por la que había logrado atravesar tantos momentos difíciles. Quería confiar en Dios (sabía que necesitaba hacerlo), pero como había creído que Él curaría a Melissa y no lo había hecho de la forma que esperaba, mi confianza en Él se había visto socavada.

Hacía mis preguntas directamente a Dios, pero no parecía existir una conexión sólida entre nosotros. Era como cuando hablas con alguien por teléfono móvil, no tienes buena cobertura y la conversación comienza a interrumpirse. Sabes que la otra persona está en línea y te está hablando, pero no puedes entender lo que te está diciendo. Excepto que yo llevaba semanas teniendo mala cobertura y estaba empezando a preguntarme si Dios y yo volveríamos a comunicarnos como lo habíamos hecho antes.

Así que por eso me sorprendí cuando sentí que Dios me decía *Ve a por tu guitarra* el día que estaba sentado a solas en el sofá de la casa de mis padres. Primero me sorprendí porque había percibido sus palabras con total claridad. Y en segundo lugar, porque no tenía la sensación de que tuviera que ofrecer algo a Dios (o a cualquier otra persona, ya que estamos) ya fuera física o emocionalmente. Imaginaos un neumático pinchado. Sigue siendo un neumático, pero sin el aire no sirve para nada. Yo me sentía como ese neumático.

Después de resistirme a la llamada de Dios durante una media hora, cogí la guitarra. Diez minutos más tarde, tenía lista la canción «I Still Believe».

En ningún momento pensé: *Esta canción será un éxito*. Su propósito era brindarme protección y consuelo, y desde entonces lo único que hecho es compartirla con los demás.

Me recosté en el sofá y suspiré. Sumido en la confusión, sentí la presencia de Dios. Sumido en mi dolor, sentí Su gracia y Su misericordia.

Esa canción me desveló algunas verdades importantes. En la Biblia había encontrado promesas de que Melissa se curaría, pero en la canción afirmaba que aún creía en la sagrada Palabra de Dios. Que creía en Su verdad. Que creía en Su lealtad.

A través de esas palabras, que habían salido de mi alma, estaba diciendo: «Tú eres leal. Tú eres leal. Tú eres leal». A pesar de la adversidad, seguía creyendo. ¡Confiaba plenamente en Él!

Si miro hacia atrás, me doy cuenta de que ahí fue cuando empezó mi proceso de curación.

Obedecer la voluntad de Dios puede provocar un cambio drástico, aunque en mi caso no fue una obediencia de lo más sumisa. La obediencia abre la puerta de nuestro corazón para permitir que Dios obre en nosotros como Él desea.

«¿Crees en esto?»

Estar en Indiana me vino bien porque, al quedarme en casa de mis padres, me apoyaron con su sabiduría. A pesar de que estaban pasando su propio duelo, me brindaron palabras de consuelo que me ayudaron a cicatrizar mis heridas.

Como siempre, mi madre parecía saber exactamente qué palabras de la Biblia necesitaba oír. Cada día (en algunas ocasiones varias veces), compartía conmigo un versículo que creía que el Señor había hecho llegar a su corazón para hablar sobre mi situación.

Mi madre encontró consuelo en Hebreos 11. El primer versículo nos ofrece la definición de fe que muchos de nosotros memorizamos de jóvenes: «La fe es la garantía de lo que se espera, la certeza de lo que no se ve». El capítulo también incluye una especie de «Salón de la fe», héroes y heroínas del Antiguo Testamento que son un ejemplo para nosotros porque se mantuvieron fuertes en su fe, aunque no recibieran en vida lo que Dios les había prometido.

Mi madre me señaló los dos versículos finales que resumen ese capítulo, los versículos 39 y 40: «Aunque todos obtuvieron un testimonio favorable mediante la fe, ninguno de ellos vio el cumplimiento de la promesa. Esto sucedió para que ellos no llegaran a la meta sin nosotros, pues Dios nos había preparado algo mejor».

—No comprendo por qué Dios nos hizo esas promesas —me dijo—, pero siento que nos está diciendo que debemos tener fe precisamente porque no hemos recibido lo que nos prometió. Y que debe ser una fe aún más profunda.

Esos días, mi padre se acercaba a mí muchas veces y simplemente me abrazaba con fuerza mientras yo lloraba. En una ocasión, cuando cantábamos canciones de alabanza juntos, tuve que parar. «Era tan devota», le dije a mi padre antes de ponerme a llorar. Él se acercó y me abrazó sin decir ni una palabra. Sabía que tenía que dejarme llorar cuando tuviera la necesidad de hacerlo. Tengo la suerte de haber sido bendecido con un padre que ama a Dios y a sus hijos y que siempre se ha mostrado muy cariñoso conmigo.

A comienzos de la primavera de 2001, regresé a California. No estaba convencido de si podía vivir allí sin Melissa, pero sentía que Dios me quería en ese lugar. No fue fácil, porque todo me recordaba a ella: los restaurantes donde comíamos, los lugares que visitábamos, la iglesia a la que asistíamos. Mis amigos no eran solo mis amigos, eran los amigos de ambos.

No quería vivir solo en nuestro apartamento, así que el hermano de Melissa, Ryan, y otro amigo más se quedaron conmigo durante algún tiempo en diferentes momentos.

La vida diaria dentro de casa se me hizo especialmente difícil. A Melissa le encantaban las pinturas de Thomas Kinkade, y teníamos en la pared dos reproducciones que habíamos elegido juntos, una de ellas un regalo del mismísimo Kinkade y la otra, una que yo le había comprado. A veces me encontraba en la cocina cortando zanahorias, y de pronto me ponía a llorar al recordar el zumo que le hacía con la esperanza de que la ayudara a combatir el cáncer. Otras, me sentaba en la cama y miraba la televisión pensando cómo solía estar a mi lado. Entonces me acordaba de ese maldito monitor, la bolsa, la vía y el pitido que me despertaba en mitad de la noche para recordarme que tenía que evitar que se deshidratara.

Sentía una vorágine de emociones encontradas.

El aturdimiento que sentí nada más morir Melissa se transformó en tristeza. Después de un tiempo, esa tristeza dio paso al enfado. Estaba furioso porque su vida hubiera terminado tan pronto. ¡Solo tenía veintiún años! ¡Tenía tanto que ofrecer! Qué rabia que nos hubieran arrebatado tan pronto nuestros sueños y esperanzas.

Un día, mientras leía la Biblia en mi dormitorio, me topé con un pasaje en el cual Jesús cura a alguien de manera milagrosa. Ni siquiera pude terminar de leerlo porque sentí como si un volcán se hubiera despertado en mi interior. Me puse de pie, agarré la Biblia y la tiré al otro lado de la habitación. Se estrelló contra la pared y cayó al suelo. «¡¿Por qué, Señor?! ¿Por qué no salvaste a mi esposa? ¡Yo tenía fe! ¡Creí que lo harías! *¡¿Por qué?!*».

No suelo tener arrebatos de ese estilo, y el enfado que sentía no era constante. Pero tenía momentos en los que pensaba en todo lo que había sucedido y me trastornaba. Había intentado contener mis sentimientos de ira hacia el Señor porque me había dicho a mí mismo que Él era Dios y que no podía estar enfadado con Dios. Le había hecho muchas preguntas, aunque en realidad no había querido cuestionarlo. Ese me parecía un límite que no podía (y no debía) cruzar. Sin embargo, en mi interior estaba albergando una mezcla de emociones reprimidas tan variadas, que al final se transformaron en algo que ya no podía contener.

Se me aceleró el pulso. Mis pulmones trabajaban a destajo. Sentía la tensión que me atenazaba los músculos y me entraron ganas de hacer un boquete en la pared más próxima. Me había asustado la reacción que había tenido (*¡Has tirado tu Biblia!*, me recordé) así que respiré hondo para tranquilizarme.

Una vez más, sentí que el Señor me hablaba al corazón: «No tienes que saber por qué. Ese no es el propósito que tengo para ti. Quiero que des testimonio de lo que significa vivir con fe».

Eso no era lo que quería oír, pero me calmé a pesar de que aún no lo entendía del todo.

Otro día, mientras leía la Biblia, Dios me llevó a leer la historia de Lázaro en Juan 11. Lázaro estaba enfermo y moribundo en Betania. María y Marta, las hermanas de Lázaro y amigas de Jesús, lo llamaron porque sabían que Él podía curarlo. Cuando Jesús recibió el mensaje, se encontraba en Jerusalén, a menos de tres kilómetros de distancia. Sin embargo, en lugar de dejar todo y apresurarse para llegar a Betania, se quedó en Jerusalén. Para cuando llegó, Lázaro había muerto y llevaba enterrado cuatro días. Durante todo ese tiempo María y Marta habían estado recibiendo condolencias. En cuanto Marta se enteró de que Jesús se acercaba, salió a su encuentro. Mientras leía la historia, no me costó imaginar el dolor, la confusión y el enfado de Marta.

En el versículo 21, ella le dice a Jesús: «Señor, si hubieras estado aquí, mi hermano no habría muerto».

En los versículos 25-26, Jesús le recuerda: «Yo soy la resurrección y la vida. El que cree en mí vivirá, aunque muera; y todo el que vive y cree en mí no morirá jamás». Después hace a Marta una pregunta directa: «¿Crees esto?».

¿Crees esto?

La pregunta que Jesús había hecho a Marta era la misma que yo debía responder. ¿Creía que el Señor estaba dispuesto a curarnos? Aquello me había estado atormentando día y noche. ¿Seguiría creyendo que Jesús era la resurrección y la vida? ¿Y que Melissa estaba ahora más «viva» de lo que había estado en la tierra?

Si uno sigue leyendo la parábola de Lázaro, se da cuenta de que Jesús no actuó con frialdad o indiferencia. Como «Dios hecho hombre», Jesús sentía las mismas emociones que nosotros. Amaba, se regocijaba, se enfadaba (preguntad si no a los mercaderes del templo[10]) y, por supuesto, también sufría.

Juan 11:35 es otro versículo que muchos de nosotros memorizamos de pequeños, ya que es uno de los más cortos de la Biblia y el más fácil de aprender: «Jesús lloró». También es uno de los versículos más profundos de la Palabra de Dios porque demuestra la verdadera empatía de nuestro Salvador.

Pero Jesús no solo lloró; en el texto original la palabra que se usa significa un llanto convulsivo provocado por una profunda pena que sacude a una persona hasta lo más hondo de su ser. Probablemente nadie estaría más abrumado por el dolor que Jesús en ese momento.

Jesús, todo Dios y todo hombre, sabía cómo terminaría la muerte de Lázaro: que saldría de la tumba resucitado por su propio pie. Entonces ¿por qué se lamentaba? Creo que principalmente porque amaba a Lázaro, y también a María y a Marta, así que sabía lo mucho que ellas estaban sufriendo. Creo que empatizó con el dolor de las hermanas mientras estas lloraban la muerte de su hermano.

Después de todo, Dios había hecho lo mismo conmigo. Algunas veces lo sentía llorar a mi lado. Cuando estaba herido, confundido, enfadado o cuando lo cuestionaba, el Señor nunca se apartaba de mí. Cuando manifesté mi ira y tiré mi Biblia, Dios sabía cómo me sentía. Conocía mis pensamientos. Mis acciones eran una simple consecuencia de ser yo mismo.

Reconocer la presencia constante del Señor no eliminó mis conflictos internos. Los interrogantes más difíciles no desaparecieron. *Todavía* rondaban por mi mente. De hecho, todavía lo hago. Pero ese día, cuando reflexioné sobre la historia de Lázaro, obtuve una cierta paz al saber que no estaba solo, que mi Salvador se encontraba a mi lado.

Un gran paso adelante

Mis padres me habían animado a conocer a Jon Courson. Hasta ese momento no había hablado con nadie que hubiera pasado por una experiencia similar a la mía, pero la esposa de Jon había fallecido en un accidente de coche, dejándolo viudo y con tres niños. Años después, una de sus hijas adolescentes murió en otro accidente.

Cuando llamé a Jon, tuvo la amabilidad de invitarnos a mí y a Ryan, el hermano de Melissa, a Oregón.

Ryan y yo no teníamos ningún compromiso del que preocuparnos, así que decidimos convertir esa visita en un viaje por carretera. Mientras subimos por la costa, parábamos donde queríamos y, a veces, se nos antojaba salir de la carretera principal y buscar algo con lo que divertirnos. En una ocasión, encontramos un arroyo y decidimos zambullirnos y nadar un rato. Cuando salimos del agua, nos sentamos en la orilla y nos pusimos a hablar.

Ryan era un tipo fantástico y nos vino muy bien pasar esos días juntos. El viaje estuvo lleno de altibajos. En un momento dado reíamos, bromeábamos o hacíamos algo divertido, y al instante siguiente alguno de los dos se acordaba de Melissa y todo cambiaba. La conversación adquiría un tinte más lúgubre y llorábamos mientras la recordábamos y hablábamos de lo mucho que la echábamos de menos.

A medida que nos acercábamos a nuestro destino, comencé a sentir una mezcla de anticipación e incertidumbre. Esperaba que Jon pudiera responder a algunas de mis preguntas sobre la muerte de Melissa (y tenía un montón), pero al mismo tiempo, sabía que hablar con Jon haría que tuviera que enfrentarme a algunas de las crudas emociones que todavía me desvelaban. Además, estaba un poco nervioso por saber qué respuestas me daría. ¿Sería capaz de lidiar con ellas?

Si bien mi familia y amigos habían estado a mi lado en los momentos más difíciles, supe que, cuando hablara con Jon, él me entendería mejor que nadie. El hombre nos recibió con una cálida bienvenida y tuvo el detalle de dejar que nos alojáramos en una pequeña cabaña dentro de su propiedad.

Cualquiera que haya oído a Jon sabe que tiene una forma de hablar reflexiva y paternal (y una personalidad acorde con su voz). Tiene un cierto parecido a Santa Claus. Si hubiera cerrado los ojos, no me habría costado imaginármelo vestido con un traje rojo y una barba blanca, diciéndome: «Jo, jo, jo. Ven aquí, hijo».

Después de que Ryan y yo deshiciéramos las maletas, nos reunimos con nuestro anfitrión para nuestra primera charla. Una de las primeras preguntas que le hice fue sobre el sufrimiento de Melissa.

—Hubo tanto dolor —dije—. ¿Por qué? ¿Por qué tuvo que sufrir así? Ella amaba al Señor. Hicimos todo lo que pudimos. Rezamos, tuvimos fe. Simplemente no lo entiendo.

Jon me respondió con unas palabras que demostraron una enorme sabiduría y que jamás olvidaré. Empezó por hacerme una serie de preguntas:

—¿Has hecho todo lo que la Palabra de Dios dicta? ¿Has ayunado y rezado? ¿Procuraste que los mayores la visitaran, rezaran y la ungieran con aceite? ¿Has creído? ¿Has tenido fe?

Respondí afirmativamente a cada una de esas preguntas. Habíamos hecho todas esas cosas hasta que Melissa exhaló su último aliento.

—Entonces, Jeremy, si sabes que hiciste todo lo posible, puedes dormir tranquilo. Ese fue el plan de Dios. Oyó tus plegarias y consoló a Melissa. Descansa, sabiendo que has buscado a Dios con obediencia.

Más adelante Jon puso como ejemplo la historia de Miriam, la hermana de Moisés y Aarón, del Éxodo 14-15.

—¿Recuerdas cuando Miriam tocó la canción de celebración con la pandereta después de que los israelitas cruzaran el mar Rojo?

—Sí —respondí, e imaginé a Miriam bailando y alabando al Señor después de que los hebreos hubieran llegado a salvo al otro lado del mar, libres ya de la amenaza del ejército egipcio.

—Bien —continuó Jon—, pues se perdió la oportunidad de ver cómo Dios podría haberse valido de ella.

Siempre había creído que Miriam era la heroína de esa historia.

—¿Cómo que se perdió la oportunidad? —pregunté—. ¿A qué te refieres?

—A que Miriam debería haber actuado antes —explicó Jon—. Sí, ya sé que yo no estuve allí, pero cuando todos se reunieron *antes* de cruzar el mar Rojo, sin saber qué hacer, ella podría haber cantado y alabado al Señor desde ese lado, no solo después de atravesarlo.

Imaginad lo que habría pasado si Miriam se hubiera puesto a tocar la pandereta, a bailar y a alabar al Señor cuando los israelitas estaban atrapados entre el mar Rojo y el ejército egipcio, aterrados por las circunstancias. Seguro que todos habrían pensado que le faltaban unas cuantas sonajas a su pandereta. Me entendéis, ¿no?

Pero lo que Miriam no logró ver fue cómo Dios podría haberse valido de ella en toda su plenitud. Dios no se volvió bueno de pronto *después* de que cruzaran el mar Rojo. Si uno sigue leyendo, se da cuenta de que Dios también fue bueno cuando los israelitas estaban atrapados y aparentemente sin salida porque Él siempre había tenido un plan para sacarlos de allí, para salvarlos, de una forma que jamás podrían haberse imaginado. Y Miriam se perdió la oportunidad de glorificar a Dios en medio de una situación incierta y desconcertante.

Jon usó la historia de Miriam para recordarme que debemos alabar a Dios incluso en las circunstancias más adversas, que Él merece que lo adoremos en los momentos más complicados.

—Él aún tiene el control —me dijo Jon—. Es fácil decir «Sí, Señor, ¡eres el mejor!» *después* de ser testigos de su obra y milagros. Pero no lo es tanto cuando no ves ninguna salida o el lado positivo en un momento de crisis profunda. Ahí cuesta mucho decir «Dios, eres bueno. Eres bueno. Da igual lo que suceda, eres bueno».

Era muy fácil de entender cuando hablábamos de Miriam; lo complicado era llevarlo a cabo. Lo último que quería hacer después de la muerte de Melissa era decir: «Sí, Señor, ¡eres bueno! ¡Eres bueno!». Cuando perdíamos un partido de fútbol en el instituto, nadie del equipo se alegraba. El entrenador no nos decía: «Vaya, habéis perdido, salid por ahí a celebrarlo».

Aunque he de reconocer que esa analogía deportiva es un poco estrecha de miras. En ese momento, debido a las circunstancias que me rodeaban, no podía ver un panorama más amplio de mi vida. Quizá tenía la sensación de estar abandonando el campo de juego al final de un partido, pero si daba un paso atrás y miraba mi vida desde una perspectiva más amplia (desde la perspectiva eterna de Dios), apenas estaba empezando a sudar en los ejercicios de precalentamiento. El tiempo que se nos permite vivir en la tierra puede parecernos el todo, pero en realidad solo es una parte minúscula del plan que Dios nos tiene preparado. Nuestro tiempo aquí sirve para prepararnos para vivir una eternidad a Su lado.

Yo necesitaba la perspectiva eterna que Jon me estaba brindando.

—Tal vez nunca lleguemos a comprender por completo el sufrimiento —agregó— hasta que estemos en la presencia del Señor para siempre.

Jon utilizó la imagen de una oruga para ayudarnos a Ryan y a mí a entender mejor el concepto de sufrimiento. Una oruga lucha para salir de su capullo. La tentación sería ayudarla, pero la presión de esa lucha es lo que permite que se convierta en una mariposa. Si se interrumpe esa lucha de manera prematura, la oruga no se desarrollará adecuadamente y morirá. La lucha de la oruga es lo que hace que una mariposa se transforme en aquello para lo que ha sido creada.

Del mismo modo, la «belleza» de nuestras vidas en general es el resultado de un período de duro esfuerzo. Gracias a ese esfuerzo, maduramos y nos hacemos fuertes. Nos gustaría que Dios nos lo evitara, pero ¿qué pasaría si Él cumpliera nuestro deseo? ¡Seríamos débiles e inmaduros! Dios no nos ha creado para eso. Algunas veces, por desgracia para nosotros, la fortaleza y la madurez solo se alcanzan a través del dolor. Podemos desear que hubiera una manera más fácil, pero los resultados son innegables.

—Sé que no tiene sentido —dijo Jon—, pero el dolor es parte de esa perspectiva más amplia. A través del sufrimiento, Dios obra con un propósito superior. Ahora que está en el cielo, la recompensa de Melissa es magnífica. Si miramos las cosas desde una perspectiva eterna, vemos que su recompensa es mucho más grande que cualquier sufrimiento terrenal.

Sabía que eso era cierto, pero aun así, me costaba entenderlo, porque los seres humanos tenemos una mente terrenal y solo podemos comprender las cosas que conocemos. Podemos imaginar lo que la Palabra de Dios describe sobre el cielo, pero en realidad no sabemos cómo es. Nuestras mentes terrenales nos limitan. Necesitaba aprender de las Escrituras todo lo que pudiera sobre el cielo y tenía que confiar en que Dios le había brindado a Melissa un lugar mejor, un lugar donde ella no sufriría. En Colosenses 3:2, Pablo escribió: «Concentrad vuestra atención en las cosas de arriba, no en las de la tierra». Una vez más, tenía que adoptar esa clase de perspectiva eterna.

Jon me invitó a tocar una canción en su iglesia para el servicio nocturno del domingo. Me sentí honrado, pero tenía mis dudas. No creía estar en unas condiciones óptimas que le permitieran a Dios valerse de mí.

Junto a la tumba de Melissa, mi buen amigo Jean-Luc me había dicho: «¡Hagamos que llegue el día!». Desde entonces, me lo repitió varias veces: «¡No te rindas! ¡Hagamos todo lo posible para que llegue el día! ¡Hablemos a más personas de Jesús para que su gloriosa venida llegue antes!».

Sonaba bien en boca de Jean-Luc, y me ayudó a darme cuenta de que todavía me quedaba mucho ministerio pastoral por delante. Pero todavía no me parecía el momento adecuado. Creía que, antes de que Dios pudiera valerse de mí, tenía que poner en orden algunos asuntos en mi corazón, preguntas que necesitaban respuesta

Sin embargo, Jon quiso que esa misma noche me diera cuenta de que había llegado la hora, que Dios podía usarme como su intermediario.

—Creo que te vendrá bien —insistió— porque ahora que tu dolor es más intenso, el Señor se valdrá de ti para lograr el mayor impacto.

Estaba sumido en el pozo más profundo de dolor, así que, si Jon tenía razón, sin duda me encontraba en el momento en el que se me podía usar para generar la mayor repercusión.

Elegí tocar y cantar «I Still Believe». Era la primera vez que la cantaba en público. Lo hice prácticamente llorando y luego hablé brevemente sobre la muerte de Melissa. Ni siquiera recuerdo qué dije a la congregación, aunque todavía tengo en mente toda la compasión que vi en los rostros de los presentes y cuántos de ellos se enjugaron las lágrimas. Cantar esa canción y hablar sobre Melissa fue muy doloroso, pero también un momento muy conmovedor. Sentí que, en lugar de estar sobre un escenario, estaba sobre las manos de Dios, que Él era quien me estaba sosteniendo. No me sentí fuerte, pero supe que las pocas o muchas fuerzas que tuve provenían de Dios.

Más tarde, los miembros de la congregación se acercaron, me abrazaron, rezaron por mí, me ofrecieron palabras de aliento y me confesaron lo mucho que les había conmovido la historia y la canción. Fue un momento muy tierno y esa noche me marché de la iglesia fascinado por la manera en la que Dios había obrado tanto en mi dolor como a través de él.

Mientras hablaba con Jon un par de días después, la neblina en la que estaba inmerso no se disipó de repente para revelar todo lo que quería ver durante ese difícil período de desesperación. Pero gracias a la verdad que Jon me estaba transmitiendo con todo su amor, tuve claro que estaba comenzando a ver mejor que antes.

Abandoné Oregón con un destello de esperanza, mucha más de la que había tenido al llegar allí. También partí con un poco más de determinación porque me di cuenta de que Jon había pasado por dos tragedias (la muerte de su esposa y una de sus hijas), y parecía haberlas superado, y estaba usando su sufrimiento para ayudar a los demás. Cuando me fui, por fin empecé a pensar: *Todo va a ir bien.*

Capítulo 13

UN PASO ADELANTE

Mi corazón tomó una decisión cuando escribí «I Still Believe». Ahora, sentía que esa decisión me estaba pidiendo que pasara a la acción.

Después del viaje a Oregón, estaba listo para salir al mundo a tocar y a cantar. Quería compartir «I Still Believe», la historia de Melissa y lo que Dios había obrado y estaba obrando en mi vida. Esa primavera y durante todo el verano, mientras cantaba, compartía mi historia y obtenía la aprobación de las congregaciones, empecé a recibir más invitaciones para cantar o liderar la alabanza en iglesias.

Era un poco raro, pero en mi interior se debatían sentimientos contradictorios. Por un lado, antes de un servicio, pensaba: «Señor, hoy no tengo ganas de alabarte. No me siento con fuerzas para decir "todavía creo"». Hablaba en serio, aunque quizá no era del todo cierto. Por otro lado, a pesar de que algunas veces me sentía como un participante reacio, sentía la presencia de Dios cuando cantaba y notaba que el impacto que estaba teniendo sobre la audiencia era más fuerte de lo que podía haber anticipado. Me daba cuenta de que el Señor se movía entre las personas que tenía delante de mí, pero sabía que aquello no tenía nada que ver conmigo porque tan solo unos minutos antes yo le había dicho a Dios que no quería cantar esa canción. Una vez más, aprendí una valiosa lección sobre la importancia de la obediencia sobre los sentimientos.

Cuando lideraba la alabanza, prestaba más atención que antes a la letra de las canciones. Cada una de ellas parecía significar algo. Cada una me brindaba la oportunidad de explorar la profundidad del amor y la gracia de Dios, y estaba comprendiendo cosas sobre la naturaleza del Señor en las que posiblemente jamás me había parado a pensar. Todavía tenía mis altibajos. Todavía tenía algunos días muy malos. Cuando menos me lo esperaba, algunas situaciones desataban un río furioso de emociones en mi interior.

Ver a una pareja joven cogidos de la mano en un parque hacía que echara de menos a Melissa. Ver a una madre y a un padre jugar con su niño en el parque hacía que pensara en la familia que podríamos haber formado Melissa y yo, e incluso a veces pensaba que esa *debía* haber sido nuestra familia. En una ocasión, estando en un cine, lloré durante una escena emotiva de una película de guerra.

Los desencadenantes estaban por todas partes, y como no sabía cuándo aparecerían, no siempre podía protegerme de ellos.

Era consciente de que me enfadaba con mucha facilidad. Un día, vi a una pareja en un restaurante y, por sus gestos, me di cuenta de que estaban discutiendo sobre algo. Me mosqueé con el hombre y quise acercarme y decirle: «¡Vamos, valora un poco más a tu esposa!».

En general, perdí esa compasión por los demás que había sentido en el colegio bíblico. Ahora juzgaba a otros y criticaba su egoísmo. Después de todo, ¡los problemas que los preocupaban tanto eran insignificantes en comparación con los míos! Estaba furioso con el mundo y listo para enfrentarme a él. Yo contra el mundo; ¡que empiece la batalla!

Pero al mismo tiempo, mi carrera musical se encontraba al alza. Era como estar en una montaña rusa, con continuos altibajos de emociones. Cuando cantaba o lideraba la alabanza, podía dejar a un lado el enfado de forma temporal.

Mis amigos, preocupados, me decían que quizás había regresado demasiado pronto al ministerio de la música. Entendía por qué me lo decían. Si hubiera estado en su lugar y hubiera visto cómo me encontraba, habría dicho lo mismo. Todavía *estaba* de luto. Pero creía de verdad que Dios me estaba dando un empujoncito para que volviera a dedicarme a la música, mientras decía: *Yo cuidaré de ti. Sigue adelante, confía en lo que estoy haciendo.* Escribir las canciones que salían de mi corazón y compartirlas con el público fue una parte importante no solo de mi proceso de curación, sino que también me sirvió para alentar y dar esperanza a otros.

Cuando cantaba «I Still Believe» y «Walk by Faith» veía respuestas increíbles por parte de la gente y grabarlas permitiría que llegaran a un público mucho más amplio. Un amigo me habló de dos jóvenes productores, Adam Watts y Andy Dodd. Escuché algunos de sus trabajos y, como me gustaron, los llamé para preguntarles sobre la posibilidad de grabar una demo.

«Estoy atravesando una etapa difícil en mi vida», les dije, «pero necesito dar a conocer esas canciones». Adam y Andy accedieron sin dudarlo. Primero grabamos «Walk by Faith». Cuando nos encontrábamos en el estudio, trabajando en los toques finales de la canción, tuve la clara sensación de que Dios la usaría para alentar y brindar esperanza a muchas personas que estuvieran pasando por momentos dolorosos.

«Gracias, Señor», pensé, «gracias por utilizar lo que Melissa y yo hemos vivido para ayudar a otros en sus propias adversidades».

Sentí una oleada de entusiasmo al ser consciente de que Dios tenía grandes planes para mi futuro, pero también sabía que no estaba completamente preparado para el siguiente paso. Para ser más específicos, era mi corazón el que no estaba listo. Tenía que permitir que Dios eliminara la ira. No podía dejarme llevar por la idea de que el Señor iba a usar una de mis canciones para obrar profundamente en los demás, y al mismo tiempo resistirme al cambio radical que Él necesitaba producir en mi interior.

Misión: un punto de inflexión

En otoño planeé un breve período de retiro en una cabaña de una sola habitación en las montañas. Solo quería una cosa de ese viaje: alcanzar un punto de inflexión. Sentía que Dios estaba a punto de hacer algo grande, y no quería perdérmelo.

Le pedí que eliminara por completo cualquier rastro de frialdad y amargura de mi corazón. Recordé muy bien lo que esas lacras me habían traído en el pasado y no quería volver allí. Necesitaba que Dios me devolviera el corazón que Él mismo me había entregado en el colegio bíblico. Quería volver a sentir compasión por los demás.

Tenía pensado quedarme en la cabaña durante tres días, rezando, ayunando y tocando la guitarra. Pero me resultó más difícil de lo que había esperado. El tiempo pasaba muy despacio. No esa solo que las horas se alargaran, es que a veces parecían detenerse por completo. Esperaba que una gran revelación cayera sobre mí como un águila desciende majestuosamente sobre un pico en la montaña. Creía que, al estar allí solo, sin ninguna distracción, escucharía la palabra de Dios y emprendería el camino hacia una transformación inmediata y trascendental. Estaba preparado para llorar hasta quedarme sin lágrimas.

Pero las lágrimas no llegaron. Todo lo contrario que la frialdad y la amargura, que todavía seguían ahí. Parecía que la mente y el corazón se habían quedado en un punto muerto. No podía dejar atrás las mismas preguntas del pasado y la confusión habitual. Lo único que logré en esa cabaña fue pasar hambre.

Entonces, mientras estaba tocando unos acordes en la guitarra sumido en la tristeza, improvisé una melodía y una letra que después se convirtieron en la canción «Breaking My Fall» (Detener mi caída):

(Estrofa 1)
So easily I fall, so easily You reach Your hand out / Con la misma facilidad que caigo, Tú extiendes tu mano
Quickly will I drown, in all the pools of all my reason / Me ahogaré enseguida en las profundidades de mi razón
So easily will I fear, so easily will Your peace surpass me / Con la misma facilidad que temo, Tu paz me envolverá
Quickly will I trust, in anything I think is worthy / Confiaré enseguida en todo lo que creo que merece la pena
How many times You make the waves calm down so I won't be afraid now / Has calmado tantas veces la tempestad, que ahora ya no tengo miedo

[Estribillo]
I saw You breaking my, breaking my fall / Vi cómo detenías mi caída

What am I supposed to do? / ¿Qué se supone que debo hacer?
'Cause I saw You breaking my, breaking my fall / Porque vi cómo detenías mi caída
What am I supposed to do? / ¿Qué se supone que debo hacer?

(Estrofa 2)
How precious are Your thoughts, the many that You think
about me / Qué bellos son Tus pensamientos, los muchos que tienes sobre mí
Faithful are Your ways, I always feel Your grace abounding /Qué leal que eres, siempre siento Tu abundante gracia
Quickly will I call, quickly will You answer my cry / Tan rápido como te llame, responderás a mi lamento
Carefully will You bring, everything I need in my life / Me brindarás con esmero todo lo que necesito en la vida
How many times You make the waves calm down
So I won't be afraid now / Has calmado tantas veces la tempestad que ahora ya no tengo miedo

[Puente]
This narrow road I'm walking, this world will try to draw / En este camino angosto que estoy recorriendo, que el mundo intenta trazar
Your Word will help me fight it, with You I'll face it all[11]*. / Tu palabra me ayudará a superarlo, contigo lo superaré todo*

La pregunta principal de la canción, y la que yo me hacía en esa cabaña, es «¿Qué debo hacer?». Había ido allí para pasar página, pero no creía haber dado ni un solo paso en la dirección correcta, y mucho menos haber llegado a un punto de inflexión.

¿Qué se suponía que tenía que hacer?

Sin embargo, la canción sí reflejaba la fe que tenía en que, de una forma u otra, Dios me liberaría de mi dolor: «Tan rápido como te llame, responderás a mi lamento».

El problema era que Dios y yo teníamos una concepción muy distinta de lo que significaba la palabra *rápido*.

No obstante, la letra parecía darme a entender que Dios me estaba diciendo: «Oye, todavía estoy aquí, incluso cuando tropiezas. Te amo. Estoy pensando en ti. Sigo aquí».

Durante el tiempo que estuve en casa de mis padres tras la muerte de Melissa, me costó comunicarme con claridad con Dios. Sin embargo, en la cabaña fue diferente, porque sentí una conexión fuerte. Lo único, que no estaba experimentando el cambio completo en mi corazón que había deseado.

«¡Señor, quiero cambiar!», dije en algún momento. «Sigo cayendo, tropezando y estoy enfadado y amargado, pero ¡estoy esforzándome por salir adelante!».

Sentí que Dios me respondía: «Sé que me estás pidiendo ayuda, y quiero que tengas claro que estoy deteniendo tu caída. Te dedico más pensamientos que granos hay en la arena del mar».

En la mañana del tercer y último día, me marché de la cabaña decepcionado por no haber cumplido con mis expectativas. No se podía decir que hubiera disfrutado de una escapada relajante en las montañas. No había comido mucho y tampoco había dormido demasiado. Me sentía como el boxeador que pierde tras un largo combate en el cuadrilátero.

«Señor», recé, «deseaba de corazón que me hubieras hecho partícipe de una gran revelación, llorar en Tu presencia, sentir Tu mano sanadora, algo deslumbrante. No comprendo por qué no ha cambiado nada».

Después de comer en un restaurante cerca de la cabaña, comencé a bajar por la montaña y me dirigí a casa. El CD demo que había grabado estaba en el coche, y lo metí en el reproductor para oír cómo sonaba. Mientras escuchaba «Walk by Faith» y prestaba atención a la letra que Dios me había inspirado a escribir durante nuestra luna de miel, vi un águila descender.

Sentí una calidez penetrando en mi corazón y derritiendo el hielo que se había acumulado. De pronto se liberaron todas las emociones contenidas. Se me llenaron los ojos de lágrimas. Al llegar a una señal de *stop* en una intersección, me aparté del camino y enterré el rostro entre las manos.

Si bien la experiencia de escribir «Walk by Faith» había sido muy emotiva, y aunque la había cantado y había reflexionado sobre su letra en numerosas ocasiones, nunca había comprendido por completo el significado de la canción hasta ese momento, parado en el arcén de una carretera de montaña.

«Muy bien, Señor», dije en voz alta en el asiento del conductor. «No puedo ver, pero *viviré* con fe. No lo comprendo, pero sé que tienes un plan más grande para mí. Estaré bien… ¡*Tú* harás que esté bien!».

Ya me había desmoronado antes, así que sabía lo que se sentía. Sabía que solo había vuelto a tocar fondo. ¡Qué alivio! Recuerdo estar tan agradecido.

«Lo siento, Dios, por estar tan enfadado», dije. «Ahora lo comprendo.»

En mi vida, había experimentado varios momentos cruciales en los que Dios me había roto por dentro o hablado de una forma poderosa: en el campamento juvenil de verano, en el templo del colegio bíblico, cuando escribí «I Still Believe», cuando fui a ver a Jon Courson. Ese instante, en el arcén de una carretera de montaña, fue otro de esos momentos. Cuando lo recuerdo, reconozco que ese fue el punto de inflexión final en el proceso de aceptar lo que le había sucedido a Melissa. He tenido que enfrentar otras situaciones difíciles (todavía lo hago), pero a partir de ahí, todo cambió.

Volví a la carretera y reanudé el viaje a casa. Continué hablando con el Señor mientras conducía montaña abajo, pero el tono de la conversación había cambiado de manera drástica, al menos por mi parte.

Todo lo que me rodeaba parecía infundirme una paz enorme. Volví a tener esperanza. Volví a ver las montañas a mi alrededor, y eran tan hermosas.

Puede que ese haya sido el viaje de dos horas más rápido que haya hecho en mi vida. Regresé a casa siendo un hombre distinto. Las etapas que siguieron a mi proceso de recuperación se acercaron cada vez más. La esperanza y una gran expectativa volvieron a ser una parte fundamental de mis plegarias. «Aquí estoy, Dios, ¡estoy listo!», le dije. «Es hora de volver a la vida. Tengo el corazón roto, pero estoy a tu servicio para lo que sea que quieras que haga ».

Mi primer contrato

En diciembre del 2001, recibí un correo electrónico de Tyson Paoletti, un representante de la discográfica BEC Recordings.

«Un amigo nos ha hablado mucho de ti», escribió Tyson, «y nos gustaría conocerte un poco más. ¿Tienes alguna demo que puedas enviarnos?».

¡Por supuesto que tenía una demo!

Sabía que Brandon Ebel era el fundador de BEC (Brandon Ebel Company); mi familia lo conocía desde que era adolescente y habíamos acampado junto a él en dos o tres ocasiones en los festivales de música Cornerstone. Por supuesto que me aseguré de que Tyson estuviera al tanto de ese detalle.

Días después de enviarle mi demo de seis canciones, Brandon me llamó.

—Amigo, ¿qué tal? —preguntó—. ¿Cómo le va a tu familia en Indiana?

Le respondí que mi familia estaba bien y comencé a contarle lo de Melissa. Por su reacción al otro lado del teléfono me di cuenta de que estaba conmocionado. Me dio el pésame y luego hizo una pausa.

—Tus canciones… oh, Dios mío —exclamó—. Tienen mucho potencial. Me gustaría mucho trabajar contigo. En serio.

A pesar de lo emocionado que estaba, le dije que no podía darle una respuesta inmediata.

—Tengo que meditarlo —señalé—. He sufrido mucho, y quiero asegurarme de que cada decisión que tomo proviene de Dios. —Brandon me dijo que me tomara todo el tiempo necesario.

Brandon y yo seguimos en contacto, y un día me preguntó si me interesaba grabar un álbum como parte de un proyecto de culto anual llamado *Any Given Sunday* (Un domingo cualquiera). La propuesta me interesó mucho porque me encantaba liderar la alabanza. Además, muchas personas me habían sugerido que grabara un álbum con las canciones que había escrito (había compuesto algunas más de tipo congregacional en las que hablaba de una manera muy personal sobre lo que Dios había obrado en mi vida) junto con otras canciones de alabanza más populares que solía tocar en las iglesias pero que no eran mías.

Reflexioné y recé sobre ello, sin descartar la otra oferta que tenía con BEC, y sentí que Dios me daba su bendición para participar en el proyecto *Any Given Sunday*.

Más tarde, mientras estábamos trabajando con el proyecto de culto, tuve la clara sensación de que debía firmar un contrato con BEC. Los contratos de grabación son mucho más complejos de lo que piensan las personas que no están metidas en la industria musical.

Os pongo un ejemplo sencillo: cuando un cantante y compositor firma un contrato, cede una parte de los derechos de propiedad de las canciones que escribe a ese sello en particular. El contrato exige que el artista grabe un determinado número de canciones para cada álbum, y el artista y el sello deben llegar a un acuerdo con respecto a la comercialización y promoción del álbum y de los sencillos.

Mi contrato no estipulaba que tuviera que participar en giras, pero los artistas saben lo importante que son las giras en términos de publicidad y promoción. Los sellos invierten dinero en sus artistas, así que se espera que ellos cumplan con su parte para ayudar a vender discos y amortizar la inversión. Un cantante que se niega a actuar en giras corre el riesgo de que no le renueven el contrato después de grabar la cantidad de álbumes establecida.

Además de todo eso, el artista y el sello deben acordar qué porcentaje corresponde a cada uno de ellos de todos los elementos incluidos en el contrato. Esto que os cuento es a grandes rasgos, si hiciera una descripción más extensa y detallada de este tipo de contratos seguro que os provocaría un dolor de cabeza, si es que no lo tenéis ya.

Gracias a su experiencia en la industria de la música, Jean-Luc me fue de gran ayuda en esa época. Aunque estaba convencido de que firmar un contrato formaba parte del plan que Dios tenía para mí, Jean-Luc quería que me asegurara de tomar una buena decisión en el aspecto contractual. No me avergüenza reconocer que firmar un contrato para producir un número determinado de álbumes (lleno de canciones que aún no se han escrito) puede dar un poco de miedo. Mientras negociaba mi primer contrato, me pregunté muchas veces: *¿Qué sucederá si me quedo sin ideas para escribir canciones nuevas?* Después de llevar en la industria más de diez años, no he olvidado los consejos que Jean-Luc me brindó durante mis comienzos, y he intentado hacer lo mismo con las jóvenes promesas que están dando sus primeros pasos en el sector. Sé que esta idea molesta a algunas personas, pero lo cierto es que el ministerio y los negocios se entrecruzan. Tomar buenas decisiones comerciales es una parte importante a la hora de administrar los recursos del ministerio.

En ese momento, tenía en marcha el proyecto *Any Given Sunday* (que más adelante se convirtió en *Carried Me: The Worship Project* [Llévame: Proyecto de alabanza]) y luego, en mayo del 2002, firmé un contrato de tres álbumes con BEC.

Durante todo el proceso de negociación del contrato había mantenido a mis padres informados y ellos fueron los primeros en enterarse de la noticia: ¡Su hijo era un artista que había firmado con una discográfica!

Por supuesto, estaban entusiasmados. Pero mi padre, como de costumbre, me dijo:

—Estoy orgulloso de ti porque estás sirviendo al Señor.

Firmar el contrato fue algo increíble. Estaba exultante y listo para comenzar la siguiente etapa. Debido a mi personalidad, cuando llega el momento de empezar algo, me dedico a ello en cuerpo y alma.

Estaba preparado para hacer lo que fuera que Dios quisiera de mí. Sabía que Él me había brindado esa oportunidad (tal y como me había abierto otras muchas puertas antes para conducirme a ese preciso instante), y que compartiría todas las canciones que Él me había inspirado a escribir.

Muy bien, Señor, pensé. *Soy plenamente consciente de lo que has hecho por mí.*

Historias compartidas

Me vino bastante bien tener esa mentalidad de «¡A por ello!» porque, después de firmar el contrato, grabé dos álbumes en un período de un mes.

El primero se llamó *Stay* (Quédate) y salió a la venta en septiembre. Entre las doce canciones se encontraban «Walk by Faith», «I Still Believe» y «Breaking My Fall». *Stay* tenía cinco de las seis canciones de la demo que le había enviado a Tyson. El otro álbum, *Carried Me: The Worship Project*, salió a la venta aproximadamente un año y medio después y era una mezcla de canciones mías y otras escritas por otros compositores.

Grabar un álbum es algo física y mentalmente agotador.

Grabar dos álbumes en aproximadamente un mes... bueno, ni siquiera sé cómo describirlo. Fue un mes de locos, eso seguro, pero saber que mis canciones llegarían a más personas de las que había soñado y que les estaría ofreciendo mensajes de aliento y esperanza me proporcionó un chute de energía tanto a nivel físico como mental.

Un momento decisivo en mi carrera llegó cuando me invitaron a participar en el Festival Con Dios, un festival itinerante de música cristiana que pasaba por cuarenta ciudades y que los Newsboys habían iniciado el año anterior. Cuando me convocaron de manera oficial para unirme a la gira, di gracias a Dios por permitirme compartir mi música y dar testimonio a tantas personas por todo el país.

Los artistas principales del Festival Con Dios eran Audio Adrenaline, TobyMac, MercyMe y Out of Eden. También participaban Pillar, The Benjamin Gate, Tree63, Sanctus Real, Everyday Sunday y Aaron Spiro. Eran artistas que llevaba años escuchando (algunos de ellos más años de los que les gustó oír cuando se lo conté) y ahora estaba compartiendo escenario y predicando junto a ellos.

¡El Festival Con Dios fue alucinante!

Se necesitaban seis camiones articulados para transportar todo el escenario, las luces y un equipo de sonido que alcanzaba los cien mil vatios. Las instalaciones tenían espacio para unas diez mil personas, que podían llevar sillas plegables y mantas donde sentarse. Pero no era un festival solo de música. Con nosotros viajaba un «pueblo» donde había tiendas de *merchandising*, puestos de comida, equipos para hacer *puenting* y otros deportes. Además, también había un espectáculo donde un corredor profesional de motocrós realizaba saltos y acrobacias con su moto.

No hace falta decir que la gira era una explosión de energía. Enseguida tuve la oportunidad de disfrutar de las virtudes de la vida itinerante porque viajaba en autobús. Menos suerte tienen los que van en una furgoneta de quince pasajeros con un remolque. Los integrantes de una banda suelen viajar en furgoneta (se turnan para conducir) y transportan su equipo en un remolque anexo a la misma. Eso fue lo que hicieron algunos de los grupos que formaban parte de la gira.

Pero los de BEC me dijeron desde un primer momento: «Queremos que tú solo hagas lo que se supone que tienes que hacer», y se encargaron de cubrir los gastos para que viajara en autobús con otra banda. Sin duda disfruté del «lujo» del autobús y me sentí mal por los grupos a los que les tocó ir en furgoneta. Si entonces hubiera sabido lo que descubrí durante la primera gira en solitario que hice, viajando en furgoneta durante trescientos días y con doscientos veinte conciertos, me habría sentido todavía peor y habría intentando hacerles un hueco en nuestro autobús.

Mi banda estaba formada por mí, un guitarrista, un bajista y un baterista. Solíamos tocar unos veinte minutos en cada concierto. Cuando debuté tocando una canción con The Kry casi tuve un colapso nervioso. Pensar que en el Festival Con Dios tendría que salir al escenario con mi propia banda me resultó un poco estresante, pero en cuanto estuve allí, no me tuve que preguntar «¿Qué hago ahora?» porque confiaba en lo que Dios me había llamado a hacer.

Lancé *Stay* durante el Festival Con Dios, y gracias a la gira y a las ventas del álbum, la historia de Melissa y mi testimonio llegaron de inmediato a más fans. La gente me escribía y me enviaba correos electrónicos y luego se me acercaban durante la gira para contarme sus propias historias sobre familiares que también habían tenido cáncer. Algunos de los que habían perdido a sus seres queridos me confesaban que se habían identificado especialmente con las letras de mis canciones.

Me costó mucho ver el dolor que expresaban los ojos, las voces y las palabras de esas personas cuando compartían conmigo sus historias, y viví momentos muy emotivos en el stand del artista cuando los fans me preguntaban sobre mis experiencias y luego rezábamos juntos. Sin embargo, me encantaba tener la oportunidad de mantener esas conversaciones.

Sabía lo extendido que estaba el cáncer en el mundo, pero me impresionó darme cuenta de cuántas personas se veían afectadas directamente por esa enfermedad. No obstante, escuchar y leer todas esas historias confirmó una promesa que Dios me había hecho en mis momentos más desgarradores: Él tenía un plan y un propósito para mí que se extendía mucho más allá de cualquier cosa que hubiera podido imaginar.

Capítulo 14

VOLVER A ENAMORARME

En el Festival Con Dios me encontré en mi salsa desde el principio ya que, con tantas bandas, había un montón de músicos a los que podía presentarme. ¿Por qué no? Para empezar, tenía un carácter extrovertido, y estaba encantado de estar de gira con ellos.

Durante uno de los primeros conciertos, mientras observaba a los otros grupos actuar y esperaba mi turno, me llamó la atención (no solo desde el punto de vista visual, sino también auditivo) una artista en particular: la cantante de The Benjamin Gate, o TBG para abreviar, una chica pelirroja con una voz digna de mención.

TBG era una banda de Sudáfrica, y aunque ambos grupos habíamos actuado en el Fish Fest en California a principios de verano, no había tenido la oportunidad de conocerlos. TBG también había participado en el primer Festival Con Dios, y os aseguro que sabían cómo tocar buen *rock* sobre el escenario. Supuse que su vocalista, que me dijeron que se llamaba Adrienne Liesching, o Adie para los amigos, era toda una roquera rebelde.

Después de uno de los conciertos, mientras estaba dando una vuelta para conocer a todos los artistas, me acerqué a Adrienne y me presenté. Ella me saludó con un agradable acento sudafricano, que no tenía nada que ver con lo que me había esperado. Era completamente diferente a la persona que había visto actuar en el escenario. Hablaba con un tono suave y dulce.

Nuestra primera conversación real se produjo después de que se torciera el tobillo en Atlanta, Georgia. La zona estaba sufriendo los últimos azotes de una tormenta tropical y parecía que una de las tiendas estaba a punto de salir volando. El mánager de la gira salió disparado en dirección a la tienda para tratar de evitarlo, y a mitad de camino chocó por accidente con Adrienne. Desde fuera se vio como uno de esos placajes perfectos de un partido de fútbol americano. Adrienne pensó que no era nada y le dijo al mánager que se encontraba bien, pero cuando intentó ponerse de pie, no pudo hacerlo.

Me sentí mal por ella porque sabía lo difícil que podía ser para una chica roquera actuar sobre el escenario con una tobillera. Al día siguiente la vi y le dije que en nuestro grupo habíamos rezado por ella antes de salir a tocar. (¡Os juro que lo hicimos!).

Adrienne me dio las gracias y, mientras hablábamos, volví a darme cuenta de que en realidad era una joven muy tranquila. Casi tuve que comprobar dos veces si estaba conversando con la misma persona que había visto en el escenario.

Mi mesa de *merchandising* se encontraba a dos puestos de la de TBG, y como Adrienne era la vocalista de la banda, se pasaba muchas horas del día allí sentada conociendo a los fans. Más tarde, supe que Adrienne todavía no me había escuchado hablar sobre Melissa en el escenario, pero que sus compañeros de banda le habían contado que yo tenía una historia muy conmovedora y sentía curiosidad por saber más. Un día, durante el trayecto en furgoneta, se pasaron horas hablando de lo que me había sucedido y se quedó aún más intrigada.

Adrienne alcanzaba a oir algunas de las conversaciones sobre Melissa que mantenía con los fans en mi mesa de *merchandising*, y en los momentos en que estábamos más tranquilos se me acercaba, me saludaba con su voz dulce y me hacía preguntas sobre Melissa. Me preguntaba: «¿Cómo era ella?», «¿Cómo os conocisteis?» o «¿Te apetece contarme como era su devoción hacia el Señor?». Me gustaba lo cómoda que se la veía hablando sobre Melissa, y eso hacía que me resultara muy fácil charlar con ella.

Otros músicos también solían preguntarme por mi testimonio, pero Adrienne tenía un mayor interés que los demás. Era muy dulce al respecto. Y no porque se sintiera atraída por mí. Parecía intrigada por mi historia y la de Melissa.

Si la veía almorzando o me cruzaba con ella mientras iba a algún sitio, la saludaba con un «Hola, ¿qué tal?». Algunas veces, nuestras bandas se sentaban juntas mientras otros grupos tocaban, y cuando TobyMac estaba actuando en el escenario, Adrienne y yo nos poníamos de pie y bailábamos haciendo el tonto. Ella había aprendido funky jazz durante su infancia en Sudáfrica e intentó enseñarme algunos movimientos. También practicábamos el paso de hip-hop «running man» que MC Hammer y Vainilla Ice popularizaron durante los últimos años de la década de los ochenta. Sé que a Adrienne no le importará que diga esto, pero en general nos comportábamos como dos payasos. Éramos buenos amigos, nos sentíamos a gusto el uno con el otro y no intentábamos impresionarnos.

A veces íbamos juntos hacia nuestras mesas de *merchandising* y, como estaban cerca, pasábamos el rato allí y simplemente hablábamos. Era un placer charlar con ella.

Adrienne estaba pasando por un momento complicado. Era una mujer joven (veintiún años), estaba lejos de su hogar y viajaba todo el tiempo con hombres. No parecía tener a nadie que la apoyara, alguien con quien poder hablar de todo.

El hierro se afila con hierro, y ella necesitaba una persona de hierro.[12]

Por otro lado, se notaba que Adrienne tenía un evidente anhelo de Dios. Cuando me escuchaba hablar del Señor, me preguntaba sobre Él de la misma manera en la que me había preguntado por Melissa, mostrando un profundo y sincero interés.

Cuánto más nos conocíamos, más conversaciones manteníamos sobre Dios y sobre cuestiones espirituales. Notaba su deseo de ahondar su relación con Él, así que sentí que podía ir poniéndole pequeños desafíos y animarla a crecer espiritualmente.

En ese momento estaba un poco desanimada con respecto al entorno de la música cristiana. Habían formado TBG en Sudáfrica en 1998 y habían venido a los Estados Unidos un año antes de que la conociera. Ese era el tercer año consecutivo en el que se encontraban inmersos en una gira promocional de unos doscientos cincuenta conciertos al año, así que estaban realizando un esfuerzo considerable para intentar tener éxito. Y por si eso fuera poco, llevaban todo ese tiempo desplazándose por el país en furgoneta con el remolque a cuestas.

TBG no estaba pasando por un buen momento, y Adrienne sentía que ni ella, ni la banda se encontraban donde debían estar desde el punto de vista espiritual. Creía que no valía la pena el sacrificio que la música requería. Adrienne se estaba volviendo cínica. Era algo fácil de entender, pero que, en mi opinión, no tenía por qué tomárselo de ese modo.

—Estás hastiada —le dije un día sin rodeos. Ni siquiera me arrepentí de mis palabras, aunque no sabía cómo iba a reaccionar ante mi manera de ser su persona de hierro. Solo quería ser honesto y tenía las mejores intenciones.

—¿Lo dices en serio? —repuso, en parte preguntándose si era verdad y en parte, creo, que un poco desconcertada por mi comentario.

—Sí, por supuesto que sí. No te sientas hastiada. No hagas que tu corazón se vuelva insensible porque sé cómo se siente uno haciendo eso, y no conduce a nada bueno.

Algunos días después, me dio las gracias por haberme preocupado lo suficiente para darme cuenta de su cambio y haberla empujado a mejorar su condición espiritual. Ella se había alejado de Dios, y Él había hecho que se percatara de que algo no iba bien entre ellos.

Sentí que el Señor nos estaba acercando como amigos para que pudiéramos ayudarnos a atravesar las circunstancias difíciles que estábamos experimentando en nuestras respectivas vidas.

También tuvimos algunas conversaciones bastante personales sobre Melissa.

Adrienne era muy curiosa. Hacía muchas preguntas, y yo siempre se las respondía. Por supuesto que había hablado con muchas personas sobre mi mujer durante los meses que siguieron a su fallecimiento. Pero en ese momento, ocho meses después de su muerte, Adrienne era la primera mujer con la que estaba abordando en profundidad esa etapa de mi vida, y me resultó muy útil escuchar la perspectiva de una mujer.

Durante esa gira, la banda de Adrienne se enteró de que habían asesinado en Sudáfrica a un amigo íntimo, y yo intenté consolarla lo mejor que pude valiéndome de mi experiencia con el dolor. Estaban sucediendo muchas cosas en nuestras vidas, y nuestras conversaciones parecían beneficiarnos a ambos.

También estaba empezando a darme cuenta del impacto que podía ejercer mi historia en conversaciones personales de tú a tú. Me estaba acostumbrando a hablar sobre el ejemplo de la vida de Melissa en el escenario y con los fans en la mesa de *merchandising*, pero había algo distinto cuando lo hacía de forma más exhaustiva con una sola persona.

A pesar de que cada vez pasábamos más tiempo juntos y que manteníamos conversaciones personales y espirituales bastante profundas, no existía una atracción entre nosotros. Adrienne no buscaba pareja, y yo ni siquiera me planteaba empezar otra relación.

Además, éramos muy diferentes. Yo era el atleta extrovertido del Medio Oeste. Y Adrienne era esa interesante combinación entre roquera desenfrenada y dulce chica introvertida de Sudáfrica. Ella tenía una veta artística y creativa y yo, bueno, solo era un deportista.

No éramos más que unos muy buenos amigos que se lo pasaban bien juntos haciendo cosas como sentarnos a comer y hablar de lo que habíamos leído en la Biblia esa mañana, mientras nos lanzábamos una mirada de complicidad antes de desafiarnos a una carrera a ver quién llegaba primero. Entonces nos poníamos a correr como locos hacia nuestra línea de meta imaginaria (excepto cuando ella llevó la tobillera, aunque eso no evitó que la retara igualmente).

Adrienne era de complexión pequeña, y yo no tenía ni idea de que venía de una familia de grandes atletas. En una ocasión, cuando ya se había recuperado de su lesión de tobillo, amenacé con arrojarle un vaso de agua fría y ella salió corriendo. Debo admitir que tuve que sudar para alcanzarla. Su velocidad me dejó estupefacto.

Lo que más me gustaba de Adrienne era lo mucho que quería aprender sobre Dios y cómo se le iluminaba el rostro cuando hablábamos sobre cuestiones espirituales.

A pesar de que nuestra relación no iba más allá de la amistad, a medida que nos íbamos acercando más, comencé a sentirme culpable por pasar tanto tiempo con ella, y luego todavía más por divertirme con una mujer que no era Melissa. Incluso llegué a preguntarme si era correcto ser su amigo.

Recuerdo una vez, a finales del otoño del 2002, en la que, estando solo, me sentí realmente abrumado por esa culpa y dije en voz alta: «No puedo hacer esto».

A partir de ahí, empecé a alejarme de Adrienne. Cuando nos cruzábamos, la saludaba con un: «Vaya, ¡qué alegría verte! Lo siento, pero tengo que irme». Nunca le confesé que me estaba distanciando de ella de manera intencional, pero ella me comentó más tarde que se había dado cuenta y que le había dicho a una amiga que creía que lo más probable era que algún día le diría que teníamos que dejar de pasar tanto tiempo juntos.

Pero la distancia que estaba interponiendo entre nosotros solo demostraba cuánto quería estar con ella. Solía preguntarme qué sería lo que ella estaba haciendo en ese momento y luego intentaba que nos topáramos por casualidad en alguna de las carpas. Cuando no la encontraba, me llevaba una decepción. Cada día que pasaba me sentía más atraído por Adrienne. Echaba de menos su dulce espíritu y su carácter alegre. ¿De verdad que las diferencias que yo creía que había entre nosotros eran una prueba de que no estábamos hechos el uno para el otro? Comencé a pensar que quizás éramos uno de esos casos en los que los opuestos se atraen y complementan.

Pero lo que más echaba de menos era ese anhelo espiritual que la caracterizaba. Adrienne me había contado cuánto le había inspirado Melissa y cómo quería entregarse al Señor del mismo modo que había hecho mi esposa.

Entonces me di cuenta de que Adrienne me gustaba. Bueno, no solo me gustaba, sino que me gustaba *mucho*. Sí, exactamente en el sentido que estáis pensando. Y aunque en ese momento yo no lo sabía, ella también sentía lo mismo por mí.

Adrienne sospechó que podía sentirme atraído por ella cuando salimos todos en grupo a jugar al billar y la dejé ganar. Soy una persona competitiva por naturaleza y no suelo perder a propósito.

Pero Adrienne era distinta.

Nuestros propios caminos

«Dios», pensé, «¿qué está sucediendo? ¡Me siento bien estando con Adrienne y, al minuto siguiente, pienso que no estoy haciendo lo correcto!».

«Te estoy dando mi bendición», respondió Dios a mi corazón, «no le des muchas vueltas. Simplemente recíbela».

Dios y yo ya habíamos tenido bastantes discusiones en mis oraciones, así que acepté su respuesta de inmediato.

Luego recordé lo que Melissa me había dicho en el coche cuando volvíamos a casa desde el hospital: «Quiero que sepas que no pasa nada si encuentras otra persona después de que me haya ido. No quiero que esperes demasiado. No tienes que llorarme mucho tiempo».

En ese momento no había querido escucharla; ni siquiera entendía por qué Melissa me decía aquello cuando todavía teníamos tanto por lo que luchar. Pero de repente, comprendí la absoluta falta de egoísmo y la sabiduría que había demostrado a pesar de que no tuvo que resultarle fácil pronunciar esas palabras.

Estar cada vez más cerca de Adrienne me resultó tan emocionante como aterrador. Después del fallecimiento de mi mujer, me centré por completo en ejercer el ministerio. Era lo único que deseaba hacer. No había planeado volver a enamorarme, ni tampoco había considerado seriamente la posibilidad de que eso ocurriera.

Cuando pierdes a tu cónyuge, te vuelves dolorosamente consciente del riesgo que conlleva volver enamorarse. No quería correr ese riesgo, y esa era una de las razones por las que me había dedicado en cuerpo y alma al ministerio. Dios y yo, nadie más. Ninguna distracción. Una relación agradable y segura, hasta cierto punto.

¿Qué está pasando?, pensé. ¡Esto *tiene que terminar! No puedo embarcarme en otra relación. Ni siquiera sé si quiero hacerlo.*

Necesitaba terminar con nuestra relación cuanto antes, así que invité a Adrienne a cenar para decirle que se había acabado lo que fuera que había entre nosotros. Fuimos al restaurante Applebee's en Oklahoma City, y tuve la sensación de que Adrienne tenía una sospecha de lo que iba a pasar esa noche. Por mi parte, sabía lo que tenía que decir, pero no había preparado ningún discurso.

Hablamos un rato, pedimos la comida y charlamos otro poco más. El restaurante estaba lleno y se oía un zumbido constante proveniente de las mesas de alrededor. Yo no hacía nada más que tratar de encontrar una forma de sacar el tema.

Al final decidí que debía hacerlo antes de que llegara la comida. No habría sido agradable mantener una conversación como esa entre bocado y bocado.

La miré y ella hizo otro tanto.

—¿Te imaginas pasando el resto de tu vida a mi lado? Es decir, ¿crees que podrías casarte conmigo?

No sé si Adrienne quería preguntarme si me había vuelto loco, aunque yo sí que quería. No podía creer que acabara de decir algo así. Era todo lo contrario a «Mira, lo siento, pero esto no está bien. Quiero que sigamos siendo amigos, pero...».

Adrienne parecía sorprendida, aunque sonrió.

—Sí —respondió.

—Muy bien —dije con una risita—. Si te soy sincero, esta noche vine aquí con la intención de terminar contigo. Me he sentido bastante culpable y con mucha incertidumbre. Estaba abrumado. Pero no he podido. Mira lo que te he dicho al final. He pasado por mucho como para andarme con rodeos, así que espero que no te haya molestado que te haya hecho una pregunta tan seria».

—No pasa nada —respondió ella—. Me alegra que hayamos podido dejarlo claro.

La camarera nos trajo los entrantes y ambos estuvimos jugueteando con ellos más que comiéndolos. Creo que simplemente nos sentamos allí y nos miramos el uno al otro preguntándonos si lo que acababa de suceder era real o nos lo habíamos imaginado.

El Festival Con Dios terminó antes del Día de Acción de Gracias y yo no quería separarme de Adrienne. Cuando cada uno tuviera que seguir su propio camino, eso sería precisamente lo que haríamos. La banda de Adrienne estaba radicada en Nashville, Tennessee, y yo todavía vivía en California. Cotejamos nuestras agendas y nos dimos cuenta de que pasaría por lo menos un mes antes de que pudiéramos volver a vernos.

¡Menos mal que existían los teléfonos móviles! Hablábamos casi todos los días durante horas y, algunas veces, hasta las tres o cuatro de la madrugada. Nuestras conversaciones telefónicas eran tan profundas como las que habíamos tenido en persona. Charlábamos sobre todo, como demuestra la frecuencia y el tiempo de nuestras llamadas.

Nuestros tres temas preferidos eran: nuestra relación con el Señor, nuestro futuro juntos y mi pasado con Melissa.

Adrienne mantenía su anhelo por profundizar su relación con Dios, así que decidimos leer la Biblia juntos y luego conversar sobre los diversos puntos que nos hubieran llamado más la atención. Me encantaba la curiosidad de Adrienne con respecto a todas las cuestiones espirituales y las preguntas que me planteaba hacían que me sintiera como si estuviera desempeñando un papel muy importante en su crecimiento espiritual. Era evidente que estaba avanzando, y escuchar el entusiasmo en su voz cuando reconocía su madurez espiritual hacía que quisiera estar a su lado en lugar de tener que conformarme con el teléfono.

Tras nuestra conversación en Applebee's comprendimos que se daban todas las condiciones que nos permitían explorar una posible relación, lo que no es más que un eufemismo para decir que las cosas entre nosotros iban bien y que íbamos a intentarlo. Aquellas llamadas telefónicas mientras estábamos separados nos ayudaron a conocernos mejor. Aunque habíamos pasado mucho tiempo juntos en la gira, no habíamos tenido la oportunidad de mantener largas conversaciones a solas. Como la gira básicamente era una comunidad que se trasladaba de un lugar a otro, estábamos la mayor parte del tiempo en grupo o con nuestras bandas. Recuerdo que en una ocasión Adrienne y yo nos sentamos solos durante una media hora y tuvimos una agradable charla en la que nos hicimos preguntas sobre todos los temas que se nos ocurrieron. También dimos algunos paseos juntos, pero a los conciertos asistían miles de personas, así que no se parecían en nada a un paseo por un prado verde y tranquilo.

De modo que tuvimos que esperar hasta después de la gira para poder disfrutar de un poco de tiempo para nosotros sin interrupciones, aunque fuera por teléfono. Cada vez que hablábamos, tenía más claro que debíamos estar juntos.

Hablar con Adrienne sobre Melissa fue una parte fundamental de mi proceso de curación. No puedo dejar de resaltar lo madura que fue Adrienne y lo mucho que me ayudó. Se convirtió en el ejemplo perfecto de la persona que ayuda a su amigo a soportar la carga emocional que lleva sobre sus hombros. Podía hablar con ella sobre cualquier cosa relacionada con Melissa, y ella escuchaba con tanta empatía que ambos terminamos llorando en muchas ocasiones.

Durante algunas de nuestras charlas sobre Melissa, Adrienne me decía: «Hoy me siento un poco insegura». Apreciaba su honestidad en ese aspecto. Para ella habría sido más fácil guardárselo para sus adentros y pensar que era su problema. Pero sus inseguridades eran algo que teníamos que trabajar juntos. Cuando me decía cómo se sentía, me daba la oportunidad de explicarle que yo no esperaba que tuviera que ser igual que Melissa. De hecho, siempre me preocupé de no comparar a Adrienne y a Melissa de ninguna manera. Le aseguraba que ambas eran diferentes y luego intentaba transmitirle confianza hablándole de todas sus virtudes.

Si había algo que apreciaba mucho de Adrienne cuando hablábamos de Melissa era que me preguntara sobre su camino espiritual. Según lo que yo le había contado, me dijo que la admiraba porque tenía la clase de relación con el Señor que ella estaba buscando. Hablar de mi mujer pareció venirnos bien a ambos y me dio la libertad para continuar recordándola, una parte vital de la superación del duelo.

Conocer a la familia

Nuestras agendas nos permitieron vernos una vez en California en diciembre, pero esa fue la única oportunidad que tuvimos de estar juntos desde el final del Festival Con Dios hasta principios del 2003. En Navidad, Adrienne viajó a Sudáfrica y yo regresé a Indiana. Sabía que tenía que hablar a mi familia de Adrienne. Ya le había mencionado algo a mi madre, pero había omitido contarle lo que sentía por ella (en parte porque todavía estaba intentando averiguar si lo nuestro iba en serio) y le había pedido que no comentara nada al resto de la familia.

No había salido con nadie desde Melissa, y esperaba una gran reacción cuando se enteraran de que estaba interesado en otra persona. Otro factor a tener en cuenta eran mis relaciones pasadas. Nunca había salido con nadie solo por diversión. Si no creía que podía tener una historia a largo plazo con una mujer, no me dedicaba a pasar el rato con ella y correr el riesgo de herir sus sentimientos. Por eso, estaba seguro de que, cuando mi familia se enterara de lo de Adrienne, sabría que iba en serio con ella.

Aunque estaba emocionado por lo que estaba viviendo con Adrienne, no tenía ninguna prisa por contárselo a mi familia. No tenía ni idea de cómo hacerlo. Evalué dos opciones: soltar la bomba delante de todos o ir diciéndoselo poco a poco a varios de ellos.

Escogí la bomba.

—¿Sabéis quién es la chica que canta en The Benjamin Gate? —pregunté. Antes de que alguien pudiera responder, agregué—: Pues me gusta mucho y estamos saliendo.

¡Uf! ¡Por fin lo dije!

Mi cuñado, Trent, el esposo de April, dijo:

—¡Qué alegría, colega!

Creo que esa fue la única reacción positiva. Mi familia es extremadamente amable y cariñosa. Pero descubrir que estaba saliendo con alguien los pilló desprevenidos. Me habría gustado que se lo tomaran de otra forma porque, después de haberme sentido tan culpable por volver a enamorarme necesitaba todo su apoyo.

Comprendía que estuvieran conmocionados. No me habían oído hablar así de una mujer que no fuera Melissa, y sabían que probablemente ya había algo serio entre nosotros. Además, Adrienne lideraba una banda de rock cristiana, un estereotipo que no encajaba con la persona con la que imaginaban que podría estar después de Melissa. (En ese momento no sabían lo dulce que era Adrienne y la voz tan suave que tenía, ni tampoco preveían que la adorarían en cuanto la conocieran).

Durante todo el tiempo que estuve en Indiana me mantuve pegado al teléfono; un detalle que no pasó inadvertido a mi padre, que enseguida se dio cuenta de lo mucho que hablaba con Adrienne mientras ella visitaba a sus padres. Un día se me acercó y me dijo que quería asegurarse de que no estaba saliendo con ella solo por la emoción del momento. Me pidió si podía dejar de llamarla durante algunos días para meditar y preguntar al Señor qué era lo que Él deseaba tanto para mí como para ella.

Le dije que lo haría, y cuando se lo conté a Adrienne, estuvo de acuerdo: dejaríamos de hablar durante un tiempo y ella también reflexionaría al respecto.

Estuvimos sin llamarnos una semana. Echaba de menos charlar con ella, pero viví un hermoso tiempo de oración que confirmó lo que sentía por Adrienne. Creo que esa semana también sirvió a mi familia para asumir el hecho de que había alguien más después de Melissa. Se habían dado cuenta de que en algún momento volvería a enamorarme, tendría otra relación y posiblemente me casaría de nuevo. Yo todavía estaba intentando superar mis propios sentimientos de culpa y, tras mi anuncio, tendrían que comenzar su propio proceso de aceptar a «alguien más». Esa semana fue importante porque me permitió atravesar ese proceso junto con mi familia en vez de en la distancia.

Si me permitís una banalidad, he de deciros que esa semana sin llamadas nos trajo otro beneficio. Poco después de que Adrienne regresara a los Estados Unidos (digamos que el mismo tiempo que tarda la compañía telefónica en enviarte la factura del mes anterior a tu cuenta de correo electrónico), nos dimos cuenta de lo caras que eran las llamadas internacionales. Tuve que ayudarla a pagar una cuenta de más de setecientos dólares.

En cuanto mi familia estuvo lista para conocer a Adrienne, conduje quinientos kilómetros para recogerla en el aeropuerto de Nashville cuando regresó de Sudáfrica. Ahí tuvimos la que decidimos sería nuestra primera cita oficial: una cena en un restaurante chino. Luego la llevé a Lafayette para presentarle a mi familia.

Adrienne se ganó a todos de inmediato. Pero no sé a quién consiguió impresionar más, si a ellos o a mí. En serio.

Si ya es complicado de por sí conocer a los padres de esa persona que consideras especial, imagínate si la casa familiar está llena de fotografías de ese persona especial con su primera esposa.

Adrienne estuvo increíble. Cuando vi no sólo cómo interactuaba con mi familia, sino lo bien que lidió con la situación de Melissa, pensé: ¡*Es una auténtica mujer de Dios!*

Ella entendió por completo el desafío que representaba para mi familia verme con alguien que no fuera Melissa. Y no mostró ningún atisbo de inseguridad. No sé cuántas personas serían capaces de pasar por una situación como esa sin sentirse, al menos, un poco nerviosas.

Cuando más adelante hablamos sobre esa primera visita, Adrienne me comentó: «Yo no estaba intentando reemplazar a Melissa o preguntar '¿Cuál es mi lugar?'. Solo quería visitarlos y apoyarlos. No quería que tu familia se sintiera obligada a olvidar a Melissa. Quería que tuvieran la libertad de sentir las emociones que brotaran».

Mi madre y Adrienne congeniaron al instante. Durante una de sus escapadas al supermercado, mi madre le contó todo lo que habíamos pasado con Melissa como familia y lo que ella había significado para cada uno de nosotros. Más tarde, mi madre me confesó que, mientras hablaba sobre Melissa, había visto una profunda compasión en la mirada de Adrienne. Al final, ambas terminaron llorando.

Cualquiera habría creído que Adrienne llevaba años siendo parte de la familia. Todos nos quedábamos despiertos hasta tarde y charlábamos. Algunas noches, cuando el resto nos íbamos a la cama, mi madre y Adrienne seguían sentadas en la mesa de la cocina y hablaban hasta las tres o cuatro de la mañana.

Un día, cuando me quedé a solas con mis padres, les hice saber que iba muy en serio con Adrienne. «Es la persona indicada para mí», les dije. No salió muy bien. Fue algo particularmente duro para mi madre, y también para mi hermana cuando se enteró. Sus reparos no tenían nada que ver con Adrienne, sino con el hecho de que ellos todavía estaban atravesando su propio duelo por Melissa.

Es cierto que jamás dejaron entrever sus reticencias a Adrienne, y creo que verla hablar sobre Melissa de una forma tan directa y con tanta admiración los ayudó a aceptar con más facilidad nuestra relación.

Capítulo 15

TODO SOBRE DIOS

Después de la visita de Adrienne a mis padres, ambos regresamos a la carretera con nuestras respectivas bandas. En mi caso, se trató de una experiencia nueva. En el Festival Con Dios, mi banda había viajado junto con otros músicos, y yo había tenido la suerte de ir en autobús. También había sido una gira relativamente corta, de solo cuarenta ciudades.

Sin embargo, en el 2003, nuestra agenda incluía doscientos veinte compromisos, con una duración de trescientos días de viaje por carretera. Y esta vez, en lugar de viajar en autobús, lo hicimos en furgoneta con remolque. En ese momento, mi banda solo la formábamos el baterista Leif Skartland y yo, y hacíamos de teloneros de Bebo Norman. Por cierto, Leif empezó a tocar conmigo justo antes del Festival Con Dios y todavía es mi baterista.

Tras la gira con Bebo, agregamos dos personas más a la banda, y compré nuestra primera furgoneta para giras, una Chevy Mark III que tenía una cama en el fondo en la que nos turnábamos para dormir en las ocasiones en que conducíamos de noche para llegar a nuestro siguiente concierto. También hice conciertos con Jars of Clay y formé parte del festival Ichthus, en Kentucky, al que había asistido con mi familia de pequeño.

Ese primer año completo de gira me mostró el lado menos glamuroso de la música. En una ocasión, condujimos todo el trayecto desde el sur de California hasta el este de Canadá para tocar en un evento... y el promotor nunca nos pagó.

Es un sector bastante duro; la mayoría de las personas se sorprenderían si supieran cuántos artistas solo ganan lo suficiente para cubrir las deudas. Como yo era un cantante nuevo, me sentía obligado a tocar en todas partes para darme a conocer, ganar seguidores y vender los discos suficientes para mantener contento a mi sello discográfico e interesado en renovarme el contrato.

Siempre he bromeado diciendo que, durante ese primer año en carretera, llegué a tocar en pequeños graneros apestosos. No es verdad, pero lo habría hecho si me hubiera invitado algún granjero y me hubiera asegurado que tenía enchufes necesarios para conectar todos nuestros cables.

Recuerdo conciertos a los que asistían entre treinta y cincuenta espectadores. No exagero al decir que me quedaba atónito cuando, antes de un concierto, miraba cuánta gente había venido y veía una concurrencia de ciento cincuenta personas. Una noche, tuvimos un público de seiscientas personas y me sentí pletórico.

Durante uno de nuestros viajes me robaron la cartera. Al regresar a California, me dirigí a la oficina del Departamento de Vehículos a Motor (DMV, por sus siglas en inglés) para obtener un nuevo carné de conducir. Me dirigía a toda prisa hacia la entrada mientras hablaba con Adrienne por teléfono, cuando un tipo joven que parecía vivir en la calle se me acercó y preguntó:

—Oye, colega, ¿tienes algo de dinero?

Como no quería aminorar la marcha o distraerme, le respondí:

—No, lo siento. —Luego seguí con mi conversación mientras entraba a la DMV. Una vez dentro, mientras esperaba a que me renovaran el carné, comencé a sentir remordimientos por haberlo ignorado de ese modo, así que me dije: *Señor, dame la oportunidad de volver a verlo*.

Después de terminar el trámite, conduje hasta una hamburguesería de la zona. Fuera, vi al mismo joven. No me lo podía creer. Me emocionó que Dios me hubiera dado otra oportunidad y no iba a desperdiciarla.

Me acerqué a él y le dije:

—Venga, vamos dentro y te compro algo de comer.

Pedimos la comida, nos sentamos, di las gracias al Señor por los alimentos que íbamos a tomar y le pedí que me contara su historia.

Se llamaba David y, como sospechaba, vivía en la calle. Me contó que era alcohólico y adicto a la heroína. Su mujer lo había echado de la casa y llevaba un tiempo durmiendo debajo de un puente. Después de compartir su historia, empezó a hacerme preguntas.

Una de ellas era a qué me dedicaba.

—Toco música cristiana —respondí. Volvió a preguntarme mi nombre.

—Jeremy.

—¿Camp? —inquirió.

Asentí. Me sorprendió que me conociera.

David me explicó que antes de marcharse de casa, un amigo le había regalado mi primer CD. Mientras comíamos, hablamos sobre la fe, mi música y nuestro pasado. Cuando estábamos terminando, sentí el fuerte impulso de animarlo.

—Dios salvará tu matrimonio —le aseguré—. No quiero que te vengas abajo. Él me ha traído a tu vida en este momento por una razón.

Rezamos y le di todo el dinero que tenía en la cartera (veintiséis dólares) y mi número de teléfono. Le dije que me llamara si necesitaba algo y que de vez en cuando me contara cómo le iba.

Ocho años más tarde recibí un correo electrónico de una mujer que se presentó como la esposa del drogadicto sin hogar que había conocido en una hamburguesería hacía mucho tiempo. Me preguntó si me acordaba de él (por supuesto que sí) y me dijo que David se había desintoxicado y que habían vuelto a vivir juntos. Después me confesó que me escribía porque quería sorprender a su esposo organizándole un encuentro conmigo y me preguntó si estaba dispuesto a ayudarla.

Me encantó la idea y enseguida organizamos el encuentro. Cuando llegó el día, me enteré de que Dios había salvado el matrimonio de David, que a él y a su esposa les estaba yendo muy bien y que tenían un hijo al que también conocí. Fue un momento increíble y di gracias al Espíritu Santo por haberme otorgado una segunda oportunidad después de haber ignorado a David en un primer momento.

Ese es uno de mis ejemplos favoritos sobre la importancia de encontrar la manera de llegar a otros cuando el Espíritu Santo nos insta a ayudar a alguien. Nunca se sabe los frutos que puede dar nuestra obediencia. También hizo que me diera cuenta de que, si no me hubieran robado la cartera, nunca me habría topado con David. Eso me brindó una nueva perspectiva sobre la importancia de recordar que, cuando atravesamos circunstancias difíciles, Dios es capaz de convertir situaciones negativas en testimonios de su gloria.

La gran pregunta

Adrienne y yo necesitábamos estar recargando continuamente la batería de nuestros teléfonos porque las llamadas seguían siendo casi la única forma que teníamos de comunicarnos. En las raras ocasiones en que alguno de nosotros estaba libre y relativamente cerca del otro, conducíamos varias horas para vernos.

Nuestra relación tuvo algunos altibajos. No fueron tan diferentes de los que atraviesan la mayoría de las parejas, pero rezábamos juntos y luego cada uno por separado, y los superábamos hablando de manera abierta y honesta. Esas conversaciones confirmaron que lo nuestro iba en serio y, al final de ese período, nuestro amor se vio fortalecido.

Cada primavera, la Asociación de Música Góspel celebra lo que se conoce como la Semana GMA. Básicamente es un enorme evento anual para la industria de este género al que asisten todas las personalidades importantes de la escena musical cristiana. La ceremonia de entrega de los Premios GMA Dove es el evento más destacado de la semana.

Como iba a ir a Nashville para la Semana GMA, vería a Adrienne. Y por ese motivo, llevé conmigo un anillo precioso.

La verdad es que tuve una semana muy ajetreada porque concedí muchas entrevistas a los medios, que ahora me consideraban un artista prometedor. También participé en numerosas actividades relacionadas con la promoción y la comercialización de mis canciones. Adrienne también estaba muy ocupada, así que no pudimos vernos mucho.

Sin embargo, decidimos que teníamos que cenar juntos por lo menos una noche de esa semana. Pero ¿cuál?

The Benjamin Gate había sido nominado para un premio Dove (en la categoría Álbum de rock moderno/alternativo del año), pero Adrienne no esperaba que su grupo fuera a ganar. Así que le propuse que saliéramos a cenar *durante* la ceremonia de los Premios Dove. Luego ella me preguntó si podíamos vestirnos de gala para la cena, aunque no asistiéramos al evento.

¿Cena? ¿Vestirnos de gala? Me pareció la oportunidad ideal para proponerle matrimonio.

Reservé una mesa en el Park Café, hablé con los responsables y recogí a Adrienne. Después de una semana de tanto ajetreo, ambos estábamos agotados, pero mientras íbamos de camino al restaurante, escuchamos algunas canciones de alabanza y hablamos un rato sobre todo lo que nos había pasado esos días, y aquello pareció sumirnos en una especie de «calma exhausta».

El restaurante había reservado una mesa junto a la ventana, en una zona donde solo había otra mesa cerca. Era el lugar perfecto para conversar y, lo más importante, para llevar a cabo el gran final que tenía planeado para la cena.

Estaba intentando actuar de forma natural, pero estaba nervioso y seguramente se me veía un poco raro. Pedimos la comida y continuamos con la conversación que habíamos empezado en el coche. Me sentía pletórico y me estaba costando disimularlo.

Le dije a Adrienne que necesitaba ir al baño, pero fue una excusa para llevar el anillo de compromiso a un empleado del restaurante para que preparara la gran sorpresa que tenía pensada para más tarde.

Llegó la comida, y estaba deliciosa. Luego el camarero nos trajo unas pequeñas cajas adornadas similares a las que se usan para guardar bombones o algún otro detalle. El anillo se encontraba dentro de la caja de Adrienne. Pero ¡ella no la abrió! Seguimos hablando mientras esperaba a que ella la abriera. (También quería asegurarme de que la persona a quien le había entregado el anillo no había calculado su valor y decidido renunciar a su trabajo en ese instante para dirigirse a una casa de empeño).

Había escondido un pequeño reproductor de CD debajo de la mesa, y mientras me preguntaba si Adrienne abriría la caja, deslicé la mano debajo de la mesa y comencé a intentar encenderlo. Adrienne me miró extrañada, y yo intenté simular que los movimientos raros que estaba haciendo con la pierna debajo de la mesa eran de lo más normal, aunque creo que no tuve mucho éxito.

Al final, saqué el reproductor de CD para poder ver los botones y empezó a sonar «Here I Am to Worship» (Estoy aquí para alabarte). Adrienne me había dicho en numerosas ocasiones que era la canción con la que le gustaría ir al altar.

Mientras sonaba la canción me puse de pie, me acerqué a su lado de la mesa, tomé su caja, la abrí y saqué el anillo. Luego hinqué la rodilla y le pregunté:

—¿Quieres casarte conmigo?

—¡Sí! —exclamó ella.

En ese momento, la pareja sentada en la mesa de al lado ya había dejado de hablar para ver lo que estábamos haciendo.

«¡Ay, Dios!», oí decir a una de las personas cuando me puse de rodillas. Después, cuando Adrienne aceptó, se acercaron y nos felicitaron.

Salimos del restaurante y, durante la siguiente media hora, llamamos a nuestras familias y amigos más íntimos para contarles la noticia. ¿Y luego lo celebramos? Bueno, no, tuvimos que separarnos de nuevo. Yo retomé esa misma noche la carretera para seguir con la gira, y esperé casi un mes hasta que volví a ver a mi prometida.

Ruptura (Pero no la nuestra)

Nuestro compromiso marcó el final oficial de la participación de Adrienne en The Benjamin Gate. Ya en Navidad, cuando había regresado a Sudáfrica, no estaba contenta con el curso que habían tomado las cosas en la banda, sobre todo en el plano espiritual. Le había pedido a su familia y amigos que rezaran con ella sobre el futuro del grupo.

Había sido una época de mucho estrés para Adrienne. No era una integrante original de la banda, que había sido fundada antes de su llegada, y el grupo no se llamaba «Adrienne Liesching y The Benjamin Gate», pero en cualquier banda el o la vocalista desempeña el papel más importante. A Adrienne le preocupaba que su partida terminara con la carrera musical de los demás miembros, y a ella le encantaba actuar y estar con los chicos.

Todos ellos eran de Sudáfrica, y The Benjamin Gate era prácticamente lo único que tenían en Estados Unidos. Cada uno de los integrantes había hecho muchos sacrificios para dejar su país e intentar probar suerte aquí, y reemplazar a la cantante implicaba comenzar de cero en muchos aspectos. Adrienne no creía que los chicos quisieran volver a pasar por eso.

Cuando Adrienne regresó a los Estados Unidos, se reunió con los otros miembros de TBG para desmantelar la banda. Fue una conversación muy difícil para ella y, como era de esperar, los chicos reaccionaron mal al principio. Pero muy pronto, todos llegaron al mutuo acuerdo de separarse.

Teniendo en cuenta la dirección bastante obvia a la que se dirigía nuestra relación, los miembros de TGB decidieron esperar hasta que nos comprometiéramos, de modo que su ruptura se transformara en una especie de «nuevo comienzo» y Adrienne accedió a quedarse durante nueve meses más para cumplir con todos los compromisos que tenían pactados y para que la banda no quedara endeudada.

Después de nuestro compromiso, The Benjamin Gate anunció que se separaría, y que Adrienne y los chicos solo seguirían tocando juntos hasta septiembre.

Planes de boda

Adrienne y yo podíamos vernos de vez en cuando, pero no con tanta frecuencia como queríamos. Adrienne fue a visitar a mi familia sin mí en un par de ocasiones, e incluso viajó a Lafayette en julio para celebrar su cumpleaños con ellos. Me contaba que todos la habían hecho que se sintiera parte de la familia y que mis padres eran los cristianos más increíbles que jamás había conocido. Admiraba la relación que tenían con el

Señor y les preguntaba cómo habían conseguido mantener una fe inquebrantable después de la muerte de Melissa.

Adrienne disfrutaba pasando tiempo con mi madre y quería conocerla mejor. Se hicieron íntimas, y mi madre se transformó en una especie de mentora para Adrienne. Imaginaos lo bien que se tiene que sentir una madre siendo la mentora de la joven que se va a casar con su hijo.

Mi padre siempre hacía reír a Adrienne. Le fascinaban las diferencias entre los Estados Unidos y el país de origen de Adrienne, aunque siempre confundía Sudáfrica con Australia.

Al principio, cuando le hacía preguntas sobre «Australia», Adrienne le respondía lo mejor que podía porque tenía un tío que vivía allí. Cuando se dio cuenta de que en realidad mi padre se refería a Sudáfrica, empezó a contestarle basándose en lo que su tío le había contado sobre la vida en Australia, y luego agregaba con dulzura: «Pero en Sudáfrica, donde yo vivo…».

Habíamos fijado la fecha de la boda para diciembre. Lo haríamos en Sudáfrica, y Adrienne había reservado una iglesia y se había encargado de todos los preparativos. Pero cuando faltaban tres meses para la boda, Adrienne se enteró de que podía tener problemas con el visado debido a la separación de la banda y nuestro inminente matrimonio.

Le aconsejaron que, si en un momento dado, en el momento en que saliera de Sudáfrica le preguntaban sobre su estado civil, podía mentir y regresar a los Estados Unidos sin mayores problemas. Pero teníamos claro que no íbamos a mentir por nada del mundo, así que decidimos celebrar la boda en los Estados Unidos.

Adrienne logró realizar todos los cambios necesarios con relativa rapidez, excepto por un detalle. En Sudáfrica, las estaciones son opuestas a las nuestras, así que la amiga que le hizo el vestido de boda lo diseñó acorde al clima cálido de Sudáfrica. Y ahora se suponía que Adrienne tendría que casarse con un vestido con unas mangas muy cortas durante el duro invierno de Indiana.

Cuando Adrienne y la banda se separaron en septiembre, tuvo que buscarse un sitio donde vivir, así que se mudó a la casa de mis padres para alojarse en una habitación de invitados. Eso al menos le dio la oportunidad de encargarse de los preparativos de la boda con mi madre y pudieron compartir esa experiencia.

Mis padres vaciaron el sótano para convertirlo en el cuartel general de organización de la boda. Allí Adrienne podría trabajar con los detalles relativos a la decoración y las invitaciones. Adrienne hizo a mano cada invitación, y estamos hablando de entre unas ciento cincuenta a doscientas. Comenzó a hacerlas mientras todavía viajaba con su grupo. Cuando no le tocaba conducir, se ponía cómoda en su asiento y las iba escribiendo. Los preparativos de la boda y de nuestro futuro la ayudaron a distraerse de la inminente separación de TBG.

Un día, cuando Adrienne ya se había mudado a casa de mis padres, ellos estaban mirando fotografías de la familia y se encontraron con algunas fotos mías con Melissa. Mi padre se levantó de su asiento, se acercó a Adrienne y le dio un abrazo enorme.

—Solo quiero que sepas —le dijo—, que quisimos muchísimo a Melissa. Pero ahora ella está con Jesús y tú estás aquí, y eres parte de nuestra familia.

Luego agregó:

—Dios te escogió para que ayudaras a mi hijo. Tú formas parte del proceso de recuperación de Jeremy.

En otra ocasión, justo antes de la boda, mi madre habló con Adrienne sobre una fotografía de boda en la que yo estaba junto a Melissa y que se encontraba sobre el aparador de nuestra sala de estar.

—No sé por qué me cuesta tanto quitar esa fotografía, pero quiero que sepas que lo haré antes de que llegue tu familia.

Adrienne lo comprendió perfectamente y le dijo a mi madre que no se diera prisa. Ahora que estoy recordando esa historia, da la sensación de que tuvo que tratarse de una situación incómoda, pero no lo fue porque tanto Adrienne como mi madre tuvieron en cuenta los sentimientos de la otra.

No conocí a los padres de Adrienne, Rory y Wendy, hasta que no vinieron a Indiana para la boda. Lo que me lleva a contar una anécdota interesante sobre el momento en que pedí a mi suegro que me diera su bendición para casarme con su hija.

Siendo adolescente, Adrienne le había dicho a su padre que, si él no aceptaba a la persona con la que ella quería casarse, no daría el paso.

Bueno, cuando llegó el momento, a su padre le costó aceptar la idea de dar la bendición a alguien que no conocía, aunque yo le pareciera una buena persona al teléfono, Adrienne hablaba bien de mí y se la veía muy feliz conmigo. Aun así, al no haber hablado conmigo en persona, se preguntaba cómo podía dar su aprobación al matrimonio, hasta que un día sintió que Dios le decía: «No es necesario que lo hagas, ya lo he hecho yo».

Cuando hice la famosa «llamada» a su padre, estaba nervioso y tartamudeé un poco.

—¿Me estás pidiendo la mano de mi hija? —me preguntó él.

—Así es —respondí.

—A pesar de que no nos hemos visto en la vida —dijo él— y de que siempre he creído que conocería a todas las parejas de mis hijos antes de que se casaran, me doy cuenta de lo mucho que Adrienne ha crecido como persona y veo lo feliz que está cuando habla de ti.

¡Guau!, pensé. *¡Parece que ha ido fenomenal!*

Después de comprometernos, intentamos no apresurarnos y buscar el momento oportuno para informar a la familia de Melissa de que iba a volver a casarme. Más adelante, Adrienne les envió una invitación.

Adrienne estaba deseando conocer a las dos hermanas de Melissa, Megan y Heather, cuando ella y mi madre viajaron a California para asistir a un retiro espiritual para esposas de pastores aproximadamente un mes antes de nuestra boda.

Conocer a Megan y a Heather brindó a Adrienne la oportunidad de expresar su admiración por Melissa y aprender más sobre ella. Se llevaron bien desde el principio y han mantenido el contacto. Durante una de sus conversaciones posteriores, Heather le confió a Adrienne que, después de la muerte de Melissa, se había acercado más a Dios; sentía que el Señor la consolaba más que nunca y, como resultado, su camino espiritual era más profundo que antes.

En el retiro para esposas de pastores, Adrienne también conoció a la segunda esposa de Jon Courson, Tammy. Por supuesto que yo le había contado lo importante que era Jon para mí, que él había sido el invitado especial en el campamento de verano en el que había vuelto a comprometerme con Dios y que en su casa nos había animado al hermano de

Melissa y a mí después de que ella falleciera. Como la segunda esposa de un hombre que había perdido a su primera esposa en una tragedia, Tammy ofreció a Adrienne sus valiosos y sabios consejos.

Tammy le dijo: «Hay ciertas cosas que ni siquiera debes pensar, no debes compararte». Luego, para preparar a Adrienne para lo que podría surgir en nuestro matrimonio, le citó algunos ejemplos de cómo ella lidiaba con ciertas situaciones y recuerdos de la primera esposa de Jon.

Aunque siempre había evitado hacer comparaciones de manera consciente entre Adrienne y Melissa, había algunos momentos en los que, como era natural, Adrienne las hacía en su cabeza. Cuando eso sucedía, ella y yo solíamos hablar del asunto, pero le fue de gran ayuda oír lo que Tammy tenía que decir al respecto.

Como Tammy era la esposa de un pastor que compartía su testimonio con el público, también se centró en un aspecto al que sabía que Adrienne tendría que enfrentarse antes de que nos casáramos. Tammy le hizo una pregunta que a mí me hubiera resultado difícil responder de haber estado en el lugar de mi prometida: «Si Jeremy nunca compartiera nada sobre ti en el escenario, y solo hablara de Melissa, ¿estarías de acuerdo?».

Adrienne respondió que sí porque había presenciado lo que Dios había obrado, no solo mediante mi testimonio de vivir por la fe, sino también con la historia que yo había compartido sobre la vida de mi difunta esposa.

Cuando Adrienne me contó su conversación con Tammy, me dijo que esa pregunta había hecho que se diera cuenta de que no se trataba de ella, ni siquiera de Melissa, sino que todo giraba en torno a la obra que Dios estaba realizando en la vida de innumerables personas.

Algo que también me sirvió como recordatorio, ya que yo era el que compartía mis historias y canciones de esa época de mi vida. Nada de eso trataba de mí; *todo* versaba sobre Dios.

Capítulo 16

LLEGAR A LA RAÍZ

Adrienne y yo nos casamos el 15 de diciembre del 2003 en una ceremonia íntima en Lafayette. Como la iglesia de mis padres en ese momento se congregaba en una cafetería, contrajimos matrimonio en una parroquia antigua con enormes vitrales.

Al comienzo de la ceremonia, cuando me encontraba en el altar mirando hacia el pasillo y esperando a que Adrienne apareciera con su vestido de novia, el corazón me latía desbocado. Y entonces, cuando la vi ocupar su lugar al final de la nave antes de avanzar, me quedé sin aliento por lo preciosa que estaba. Recuerdo su enorme sonrisa. Se la veía absolutamente feliz, y eso me alegró más de lo que ya estaba. Adrienne era la esposa perfecta para mí, un auténtico regalo de Dios y otra demostración de esperanza y redención.

Mi padre era el encargado de oficiar la ceremonia, y cuando miré en su dirección, vi que estaba llorando. *Ay, por favor. Tranquilízate. Dentro de un minuto vas a tener que hablar delante de toda la congregación*, pensé.

En lugar de la tradicional «Marcha nupcial», Adrienne recorrió la nave al compás de «Here I Am to Worship». Nuestro amigo Jean-Luc se encargó de la alabanza y la presencia del Señor se sintió en cada rincón de la iglesia. Eso era *exactamente* lo que queríamos: una ceremonia que se centrara en la gloria de Dios para que marcara el camino de nuestra vida juntos. La vena artística de Adrienne también ayudó a crear esa atmósfera. Cuando pensaba en nuestra boda, siempre se le venía una idea a la cabeza: coronas. Un día, mientras rezaba, el Señor hizo que recordara un versículo de Isaías, el 35:10: «Y volverán los rescatados por el Señor, y entrarán en Sión con cantos de alegría, coronados de una alegría eterna. Los alcanzarán la alegría y el regocijo, y se alejarán la tristeza y el gemido».

Ella se tomó ese pasaje como una promesa del Señor de que toda la tristeza se alejaría de mi vida y que la alegría y el regocijo me alcanzarían y coronarían nuestras cabezas.

A Adrienne le gustaban las coronas y pensaba que reflejaban la realeza de Dios. En cada una de las invitaciones agregó una pequeña corona de alambre que había hecho a mano y debajo escribió nuestro versículo de Isaías. También hizo coronas para las niñas que llevarían las flores y para el portador de los anillos. Las invitaciones de nuestra boda transmitían el deseo que teníamos de que Jesús fuera el Rey de nuestro matrimonio.

Fue una ceremonia muy emotiva y se derramaron muchas lágrimas. Yo lloré, Adrienne lloró y mi padre también lloró en el altar delante de la congregación. De hecho, se emocionó mucho, tal y como había hecho al oficiar mi primera boda.

Adrienne y yo hicimos cambios en los votos tradicionales. Escribimos nuestros propios votos y no incluimos el «hasta que la muerte nos separe» ni «todos los días de mi vida». Excluir esas dos frases no tenía nada que ver con el compromiso que estaba contrayendo con Adrienne con nuestro matrimonio. Estaba y estoy absolutamente comprometido con ella. Pero me cuesta mucho pensar en esas frases, sobre todo en la primera. La palabra *muerte* parecía cernirse sobre mí cuando pensaba que tenía que pronunciarla durante la ceremonia. Afectaba a una parte de mis emociones que todavía estaban a flor de piel. Adrienne lo comprendió y me apoyó en la decisión.

Yo también quería mostrarme igual de comprensivo con ella. Esta era su primera boda, y sabía que la mayoría de las novias crecen soñando con ese día mágico. Adrienne había invertido mucho esfuerzo y creatividad en nuestro enlace, y yo quería que fuera su gran día. La sonrisa radiante que esbozó durante la ceremonia me confirmó que lo estaba siendo.

Más adelante, mi madre me comentó que lo que más le había llamado la atención durante la boda había sido lo resplandeciente que había visto a Adrienne con su vestido de novia. También me confió que, en el tiempo en que Adrienne había estado viviendo con ellos durante nuestro compromiso, la vio pasar de ser una joven tímida y dulce a convertirse en una mujer devota y segura de sí misma. Durante el enlace, mi madre se sorprendió al ver cómo se había completado esa transformación. Adrienne y yo estábamos exultantes cuando salimos de la iglesia para comenzar el siguiente capítulo de nuestras vidas. Después de nuestra luna de miel, vendimos la casa que había tenido en California en un mes, hicimos las maletas y nos mudamos a Lafayette para estar cerca de mi familia cuando no estuviéramos de gira.

En los meses previos a la boda, habíamos hablado de tener hijos. Tres o cuatro nos parecía un buen número. A ambos nos gustaban los niños y estábamos deseando formar una familia. De hecho, estábamos tan entusiasmados con la idea que... bueno...digamos que no tardamos mucho en hacerlo realidad.

No habíamos decidido tener un bebé de inmediato, pero tampoco hicimos nada por evitarlo.

Aproximadamente dos meses después de casarnos, nos enteramos de que Adrienne estaba embarazada. A ninguno de los dos nos pilló por sorpresa, pero sí a las personas a las que les contamos la noticia. Estoy seguro de que nuestro anuncio llevó a algunos familiares y amigos a hacer algunos cálculos: *Si se casaron en diciembre y el bebé nacerá a finales de septiembre... Vamos a ver... uno, dos, tres meses...* No os preocupéis, ¡todo sucedió conforme a la Biblia!

En septiembre del 2004, nació Isabella Rose (Bella). Un año y medio más tarde, Arianne Mae (Arie) se sumó a la familia. Las niñas fueron la bendición más asombrosa que jamás podría haber imaginado. Convertirme en padre me abrió los ojos a una perspectiva nueva de la vida. Antes de que tuvieran la edad suficiente para gatear, e incluso antes de que comenzaran a moverse en sus cunas, las contemplaba fascinado mientras ellas empezaban a descubrir el mundo que las rodeaba.

Observarlas me hizo desear volver a tener ojos de niño para contemplar el mundo que Dios me había brindado. Una de las cosas que más me gustaba de tener a mis dos pequeñas era presenciar las escasas complicaciones que la vida presentaba para ellas. Para los niños, todo es muy simple. A medida que crecemos hacemos que la vida sea más compleja y confusa de lo que debería ser. No es de extrañar que Jesús, cuando sus discípulos (un grupo de adultos) estaban discutiendo sobre quién de ellos sería más importante en el cielo, se dirigiera a ellos en estos términos: «Os aseguro que, a menos que cambiéis y os volváis como niños, nunca entraréis en el reino de los cielos»[13].

Pero el nacimiento de Bella y Arie también me trajo nuevos miedos. Por alguna razón que no puedo explicar, desde que Adrienne y yo nos casamos, nunca temí por su vida. Pero cuando vinieron al mundo mis dos hijas, empecé a preocuparme y a preguntarme: *¿Es posible que Dios quiera llevarse a alguna de ellas?* Sentía tal pánico a que una o ambas murieran que las abrazaba con fuerza y rezaba con el doble de emoción para que no les pasara nada.

Era un temor muy real. Y Dios tuvo que esforzase conmigo al respecto, ya que, un año y medio después de sufrir esos miedos con Bella, volví a sentir la misma angustia cuando nació Arie.

Al pie de la cruz

En una ocasión, cuando le estaba contando a Dios cuánto quería a mis niñas y le confesaba el miedo que me daba perderlas, Él me habló al corazón con dulzura, pero también con una firmeza que no dejaba lugar a dudas: *¿Acaso no comprendes cuánto te amo, Jeremy? Te amo de manera perfecta, mucho más de lo que alguna vez puedas amar a tus hijas.* Había esperado que Dios me respondiera diciendo algo como «Yo también amo a las niñas y no les va a pasar nada». Pero conforme a lo que he ido aprendiendo sobre el Señor a través de los años, Él nunca se detiene en la superficie de nuestros problemas. Aunque a veces el temor a que algo malo les sucediera a mis hijas me consumía por dentro, lo cierto es que que ese miedo era algo superficial, y Dios siempre quiere llegar a la raíz del problema: necesitaba comprender mejor *Su* amor.

No tuve una de esas revelaciones instantáneas; Dios empezó a guiarme por un proceso en el que poco a poco iría entendiendo mejor la profundidad de Su amor. La Biblia dice «Dios es amor»[14]. Su misma naturaleza y Su esencia es amor. Él es la encarnación del amor. Me costaba comprender esa verdad porque estaba pensando con lógica humana, y por tanto, con una lógica limitada.

Nuestro amor es condicional. Nos gustaría pensar lo contrario. Sin embargo, siempre lo supeditamos a ciertas condiciones. Podemos decir que amamos a alguien incondicionalmente, pero eso cambiará si esa persona nos golpea con su rechazo las veces suficientes.

El amor de Dios es perfecto. Su amor no tiene condiciones. Ninguna circunstancia puede cambiarlo. Nuestro Señor, nuestro Rey puede ver cada rincón de nuestro ser y, si somos completamente honestos con nosotros mismos, también nuestras imperfecciones. ¡Y aun así nos ama! Ese amor brilló en toda su plenitud en la cruz.

Nuestro amor no es perfecto, pero el amor de Dios no puede ser otra cosa que perfecto.

Nosotros amamos, pero Dios es amor. Hay una diferencia increíble entre esas dos afirmaciones. Me gustaría decir que entiendo por completo la diferencia, pero no es el caso, aunque sigo intentándolo. Sin embargo, he aprendido que una manera de liberarme de mis temores (como el miedo a morir) es seguir reflexionando sobre lo mucho que Dios me ama y me protege. Cuánto más acepto la profundidad del amor perfecto (e incondicional) que el Padre celestial me profesa, menos me cuesta creer que todo va a ir bien.

Confía en Mí, me decía Dios. *Solo confía en Mí. Confía en Mí. Confía en Mí.*

Ese día, mientras continuaba rezando, el Señor hizo que me acordara del versículo 1 Juan 4:18: «El amor perfecto echa fuera el temor. El que teme espera el castigo, así que no ha sido perfeccionado en el amor».

Ese versículo calmó mi espíritu y, desde entonces, he repetido esas palabras en mi mente cada vez que he tenido miedo, sin importar qué lo haya provocado. Desviar la atención de mis circunstancias para pensar en lo mucho que Dios me ama y me protege ha eliminado muchos de mis temores.

Pero todavía tengo muchos y tengo que enfrentarme a ellos.

Mientras lidiaba con aquellos temores iniciales a que una de mis hijas muriera, me di cuenta de que me daba miedo experimentar el dolor y el sufrimiento que había sentido después de la muerte de Melissa. Esa era una de las peores angustias que podía imaginar, y me asustaba volver a sentirla. Como había sobrevivido a esa experiencia, sabía que, sin importar lo que sucediera conmigo, todo saldría bien. Pero temía volver a atravesar esa agonía.

Ansiaba encontrar algún versículo que me prometiera que nunca tendría que experimentar de nuevo ese dolor. Lo he buscado en numerosas ocasiones (algunas veces con desesperación), pero no existe. Lo que sí encuentro son innumerables ejemplos que muestran que, cuando alguien sufre, Dios lo acompaña en cada paso del camino.

Y ahí es donde siempre ha estado Dios, trabajando obrando en la *raíz* de mis temores.

Poco a poco, Él me condujo a un punto en el que pude afirmar: «Señor, creo que me acompañarás en cualquier dolor que tenga que enfrentar en el futuro. Por tu Gracia, no tendré miedo al dolor».

Pedro se refirió a nuestra capacidad de alegrarnos en el poder protector de Dios, «aunque hayáis tenido que sufrir diversas pruebas por un tiempo»[15]. Pablo también abordó ese tema en 2 Corintios 4:16-18:

> «Por tanto, no nos desanimamos. Al contrario, aunque por fuera nos vamos desgastando, por dentro nos vamos renovando día tras día. Pues los sufrimientos ligeros y efímeros que ahora padecemos producen una gloria eterna que vale muchísimo más que todo sufrimiento. Así que no nos fijamos en lo visible, sino en lo invisible, ya que lo que se ve es pasajero, mientras que lo que no se ve es eterno».

De nuevo, para superar los miedos y tolerar el dolor es necesario poseer y mantener una perspectiva eterna. Es cierto que esto no es algo que nos guste oír cuando estamos sufriendo, porque en ese momento no parece que nuestros problemas nos estén ayudando a lograr nada, pero ese sufrimiento es temporal.

Está claro que yo no me sentí así en mi peor época, pero con el tiempo me he dado cuenta de que es cierto.

El sufrimiento que Dios me ayudó a superar me hizo crecer. No me definió; yo no soy «ese tipo cuya esposa falleció y ahora puede brindar un testimonio poderoso». Pero me ha hecho mejor persona y ha profundizado mi vínculo con Dios.

El dolor llega hasta la misma esencia de tu alma, te prueba y te obliga a ir más allá de la superficialidad del concepto que antes tenías de Dios. El sufrimiento te pregunta: *¿De verdad vas a confiar en el Señor? ¿De verdad lo vas a alabar? ¿De verdad vas a seguir sirviéndole?*

La única respuesta a esas preguntas, después de haber llegado a una profundidad en la que puedes comprender y conocer verdaderamente quién es Dios (donde puedes experimentar personalmente quién dice Él que es en la Biblia) solo puede ser «sí» y luego has de caminar siempre acompañado de esa verdad.

Un amigo que perdió a su hijo de dieciocho años me dijo: «Antes de esta tragedia, yo creía que tenía una relación fuerte con Dios, pero solo me encontraba en la colina cerca de la cruz. Después de lo que sucedió, llegué al pie de la cruz y ahí me que quedado».

Lo que mi amigo y yo aprendimos a través de nuestras experiencias es que el sufrimiento es una oportunidad. Ninguno de nosotros se ofreció voluntario para sufrir. No tuvimos otra opción. Sin embargo, sí tuvimos la opción de elegir cómo reaccionar. Fue difícil, pero ambos elegimos levantarnos y caminar hacia el pie de la cruz.

Sinceramente, no creo que jamás hubiera emprendido ese camino si no me hubiera visto obligado por el sufrimiento. Pero os aseguro que, una vez que llegué al pie de la cruz, supe que nunca había estado más cerca de mi Salvador.

Capítulo 17

LO QUE DE VERDAD IMPORTA

El Señor continuó valiéndose de mis experiencias personales para inspirarme canciones que pudieran llegar al corazón de muchas personas, que a su vez me asombraban con sus historias de cómo les habían conmovido y ofrecido esperanza y aliento mis canciones y mi testimonio.

En los dos años posteriores a mi boda con Adrienne, mi carrera musical se disparó. Seis sencillos de mi primer CD alcanzaron el número uno y recibí cuatro premios Dove de la Asociación de Música Góspel. El éxito me proporcionó una plataforma más amplia para trasmitir mi mensaje, gracias al aumento de las ventas, al mayor tiempo que las emisoras de radio dedicaban a mis canciones y a que cada vez tenía más oportunidades de ser el artista principal de las giras.

Sin embargo, esa mayor visibilidad en mi ministerio también requería una mayor exigencia por mi parte. Más giras, más personas involucradas en el proyecto y más logística que planear y organizar.

Esa exigencia es inherente al hecho de formar parte de la música cristiana, o de cualquier clase de ministerio. Yo era el hijo de un pastor, había estudiado en un colegio bíblico y tenía buenos amigos como Jean-Luc en la industria de la música de este género, así que tenía una idea de cuánto tiempo me demandaría mi vocación/carrera. Sabía que esa exigencia podía terminar convirtiéndose en una trampa, que a Satán le encantaría ver cómo yo me desviaba de mi deber de cumplir con el Gran Mandato[16]. Un buen cazador dirá que una trampa es mucho más efectiva cuando se camufla con el entorno y su objetivo desconoce que ha entrado en ella hasta que es demasiado tarde y ya se ha activado.

Por suerte, contaba con un gran amigo que se adelantó y logró salvarme antes de que cayera accidentalmente en la trampa.

Por supuesto que me daba cuenta de lo ocupado que estaba, pero, bueno, creía que era una consecuencia inevitable dado el éxito de nuestra banda. Y luego todo lo demás parecía ir bien. Seguía buscando a Dios y deseaba honrarlo en todo lo que hacía. Tenía buenas ventas. El flujo constante de mensajes por parte de los fans indicaba que estábamos causando el impacto espiritual que deseábamos. En casa, la relación con Adrienne iba viento en popa. Las niñas estaban creciendo sanas, y pasábamos muy buenos momentos como familia.

Pero el ritmo era implacable. Si quieres que tu ministerio crezca y llegue a un público más amplio tienes que trabajar duro. Pudimos contratar a algunas personas para llevar a cabo determinadas tareas y que no recayera todo sobre mis hombros. Había gente que se encargaba de preparar los dos autobuses y los dos camiones para las giras, y otros que descargaban los camiones e instalaban todo el equipo necesario en cada concierto. No se parecía en nada a los días de furgoneta y remolque en los que tenía que conducir, descargar el equipo, tocar, volver a cargar todo y seguir conduciendo.

En ese aspecto no tenía que trabajar más, pero sí tenía más responsabilidades. Mi nombre se había convertido en una marca. (Os aseguro que es una parte de nuestro sector que todavía me provoca sentimientos encontrados). Los dos autobuses y los dos camiones con los que viajábamos, así como las personas que estaban involucradas en la gira formaban parte del espectáculo de Jeremy Camp. Si un miembro del equipo se mostraba grosero con alguien, ¿adivináis qué? Seguía siendo anónimo y la persona ofendida decía: «Ese tipo del concierto de Jeremy Camp me trató fatal».

Cuando contrataba a mi personal, tomaba todas las precauciones posibles y las personas que trabajaban para mí eran maravillosas. Pero las personas maravillosas también pueden cometer errores, y hay errores que escapan al control de cualquiera. Algunas veces las cosas simplemente suceden. Cuánta más popularidad teníamos, más elementos entraban en juego, y eso aumentaba la posibilidad de cometer errores. El éxito puede crear un ciclo vicioso.

Y el resultado final era que, si algo salía mal, la responsabilidad recaía en mí, en mi nombre.

Esa carga me pesaba tanto que empecé a intentar anticipar los problemas que podían surgir. Pero cuando los teníamos encima (y enfatizo el «teníamos» porque contratábamos personas que estaban a cargo de resolver esos problemas) *yo* intentaba encontrar la solución. Después me preocupaba por saber cuántos conciertos tendríamos, cómo estaba yendo la venta de CD o con qué frecuencia sonaban mis canciones en las emisoras de radio.

Con esto no quiero decir que esos asuntos no fueran importantes y que debería haberme desentendido y dejar que las personas que trabajaban para mí se encargaran de todo. No soy una persona ociosa. Pero me estaba acercando cada vez más al extremo opuesto, asumiendo responsabilidades y lidiando con situaciones que, sinceramente, no tendrían que haberme preocupado.

Esa sobrecarga me absorbió demasiado tiempo y energía para mi propio bien. (Y quizás también para el bien de todos los que trabajaban conmigo).

Aquellos que hayan pasado por situaciones similares, en las que han asumido más responsabilidades de las que pueden abarcar, seguramente ya estarán pensando: *Sí, sí. Sé cómo va a terminar esto.*

La trampa

Como me estaba centrando en situaciones de las que no debía preocuparme, el tiempo que dedicada al Señor empezó a verse afectado. Seguía empleándome a fondo con Su Palabra y rezando, y todavía quería ser un ministro efectivo y un devoto tenaz. Pero los momentos con Él eran cada vez menos frecuentes. De hecho, estaba pasando menos tiempo con Él para poder hacer más cosas para Él. Y esa es una trampa que puede terminar siendo letal. Por ejemplo, me di cuenta de que el crecimiento del ministerio hizo que tuviera que tomar decisiones con mayor rapidez. Si en el pasado me habría ido a un lugar apartado a meditar y a rezar en soledad antes de estar seguro si debía actuar en un sentido u otro, ahora tenía que decidir al instante. *¡Vamos! No hay tiempo para rezar*, creía equivocadamente. Después me daba cuenta en mis negocios que las decisiones apresuradas no siempre son las mejores.

Estaba intentando controlarlo todo. Aunque no estoy seguro de cuánto control tenía de verdad. Creo que, en realidad, se trataba más de una falsa sensación de control.

Había asumido demasiadas responsabilidades, pensando que era la mejor forma de cumplir con el trabajo del Señor. Sin embargo, había fracasado por no poner al Señor por encima de ese trabajo. El resultado fue que empecé a agobiarme. Quería desconectar de esa rutina. Cuando no estaba en la carretera, estaba grabando. Cuando no estaba grabando, estaba escribiendo canciones para el próximo álbum. Si no hacía eso, estaba ofreciendo entrevistas para promocionar un disco o una gira. Había un sinfín de cosas que me empujaban en direcciones diferentes. *No puedo hacer nada más*, pensé.

Quiero dejar claro que nuestro ministerio no era ningún fraude, porque siempre he hecho todo lo posible por asegurarme de que todos los miembros de nuestro equipo tengan la integridad que guía nuestras decisiones. Lo que sucedió fue que nuestro ministerio se había desviado del camino porque yo estaba intentando guiarlo en lugar de dejar que fuera Dios el que lo hiciera. No nos limitábamos a salir a la carretera y pedir dinero a cambio de un buen concierto. Todo «artista» tiene noches en las que no se encuentra bien debido a un resfriado, un dolor de cabeza, alergias, molestias en la garganta, un mal día en la oficina, etcétera. Así que no estoy diciendo que no tuviera noches como esas. Pero incluso cuando estaba agotado, me tomaba muy en serio el aspecto ministerial de cada concierto. Mi meta seguía intacta: glorificar a Dios. Y Él continuó obrando a través de nuestras actuaciones a pesar de las limitaciones que yo le imponía en el ámbito comercial.

De hecho, dado que nuestro objetivo era precisamente glorificar a Dios, diría que ese propósito se sumó a la carga que llevaba sobre los hombros. Era consciente de que estaban en juego las vidas espirituales de muchas personas. Y también dependía de mí el sustento de aquellos que viajaban con nosotros. Como Jeremy Camp, tenía que alentar a todos los que me encontraba en el camino. Pero estaba cansado y exhausto, así que no tenía mucho que ofrecer. No me sentía motivado y, por lo tanto, me costaba animar a los demás.

Quería renunciar a la música, o al menos al entorno en el que me encontraba. Empecé a plantearme dejar la industria musical y convertirme en líder de alabanza de alguna iglesia. O tal vez hacerme pastor y dirigir a un grupo de jóvenes.

Como no sabía qué dirección tomar, comencé a sentir una cierta inquietud. Y muy pronto me di cuenta de que esa inquietud era mi luz interna de «revisar el motor espiritual», y la estaba ignorando porque estaba demasiado ocupado para detenerme y acudir al «mecánico».

Un día, un amigo pastor a quien le tengo muchísimo respeto me llamó y me preguntó:

—Jeremy, ¿quién está llevando el timón de este barco? ¿Tú o el Señor?

¡Su pregunta dio justo en el clavo!

En mi vida, he tenido la suerte de contar con personas que me dicen la verdad simplemente porque me quieren y procuran mi bien, así que estaba acostumbrado a esa clase de preguntas. Pero no podía pensar en nadie que hubiera sido tan directo conmigo con respecto a mi carrera profesional. No me puse a la defensiva con mi amigo, porque aprecio que alguien en quien confío tenga la valentía de ser tan sincero conmigo.

Pero su pregunta me dejó completamente abatido.

No tuve que pensar demasiado para darme cuenta que era yo el que había estado llevando el timón del barco. Había estado intentando marcar el rumbo mientras todo se hacía más grande y mejor, y trabajaba día y noche para intentar controlar los resultados.

Había preguntado al Señor qué era lo que quería que hiciera a continuación, a dónde quería que condujera al ministerio. Había intentado alcanzar la excelencia en todo lo que hacíamos para glorificarlo. Pero había dejado de esperar a que el Señor me guiara y confirmara mi rumbo antes de seguir adelante. No le estaba desobedeciendo de forma consciente, pero estaba tomando el control y yendo un paso por delante de Él.

Mi padre solía decir: «Algunas veces estamos tan ocupados cumpliendo con la obra del Señor que nos olvidamos de Él». Ese era mi caso.

Comencé a recordar cómo nos habían ido las cosas durante mi infancia. Había épocas en las que nuestra familia no tenía nada, pero seguir el ejemplo de nuestros padres nos ayudaba a ser felices. Después comparé aquellos recuerdos con la insatisfacción que sentía por tener demasiado. Lo que quiero decir es que tenía éxito. El Señor me había impulsado a entrar en la industria de la música con inocencia, gratitud, alegría y humildad. Por supuesto que seguía estando agradecido, pero, sinceramente, por primera vez en mi vida había llegado a un punto donde creía (de manera equivocada) que no necesitaba que el Señor me guiara.

Me avergüenza reconocer que, aunque nunca me he atrevido a decirlo en voz alta, la actitud que había asumido era «Gracias, Dios, yo me encargo a partir de ahora».

Como consecuencia de eso, la alegría se había debilitado. El enemigo que no viene más que a «robar y matar y destruir» me había tendido una trampa perfectamente encubierta[17]. Yo estaba sirviendo al Señor, y no me cabía duda de que Él era el motivo de todo lo que estábamos haciendo; los resultados avalaban esa creencia. Pero el éxito (las ventas, las canciones en los primeros puestos, los premios) camuflaba la trampa a la que me estaba dirigiendo de cabeza, hasta que una persona que me quería lo suficiente tuvo la valentía de abrirme los ojos con una pregunta que cambió mi rumbo para mejor.

Ceder el timón

A través de esa pregunta sencilla pero certera de mi amigo, el Espíritu Santo me convenció de la necesidad de alejarme del timón del barco.

Me dediqué a estudiar la Biblia con más ahínco y a enfocarme en las Escrituras. Me comprometí a dedicar más tiempo a la oración, y me refiero a la clase de oración de postrarte y tocar el suelo con la frente. También busqué líderes y amigos que sabía podían brindarme consejo espiritual, incluso aunque no se lo hubiera pedido de manera concreta.

Como banda, siempre habíamos leído la Biblia juntos y rezado antes de subir al escenario, pero esos momentos se habían convertido en una rutina. Nos comprometimos a volver a profundizar en el significado de la Palabra durante nuestras lecturas de las Escrituras.

Todo eso me condujo a sentir la presencia del Señor en mi vida con mayor intensidad. Cuando somos aún más conscientes de Su presencia, también prestamos más atención a los muchos otros caminos con los que Él puede llegar a nosotros. Uno de esos caminos me condujo a un momento crucial en mi vida.

Estaba concediendo una entrevista por teléfono, compartiendo la historia de Melissa y mi testimonio. Conté la conversación en la que ella había asegurado que, si una sola persona llegaba a conocer a Cristo debido al cáncer con el que estaba luchando, entonces todo su sufrimiento habría valido la pena. En cuanto terminé de decir eso, me di cuenta de todas las personas que conocía (y seguro que había más) que habían aceptado a Jesús como su Salvador o habían profundizado su relación con Él gracias a la inspiración de Melissa.

No recuerdo el resto de la entrevista, pero sé que colgué y sentí como si un dique acabara de romperse. No hubiera podido dejar de llorar ni aunque hubiera querido.

Era como si el Espíritu Santo me estuviera diciendo: *Recuerda por qué comenzaste a hacer esto. Recuerda cuál es el propósito. Recuerda a esa «sola persona»*. «Señor», supliqué, «quiero centrarme en Ti. Quiero que vuelvas a ser mi primer amor. Quiero que me guíes en la próxima etapa de mi vida. «¡Tú tienes el control, no yo!».

No había experimentado un momento tan revelador como ese desde el día en el que conduje montaña abajo después de los tres días que pasé en la cabaña. Había vuelto a derrumbarme, pero me sentía genial. Horas después, ese mismo día, escribí la canción «Beyond Measure» (Más allá de toda medida) como una expresión de mi deseo de entregarme a la guía y a la potestad de Jesús en todos los aspectos de mi vida, como hombre, esposo, padre y artista.

(Estrofa 1)

The fog has finally cleared to see the beautiful life You've given Me / La niebla por fin se ha disipado y me permite ver la vida tan bella que me has concedido
To feel the breeze of my newborn's gentle breath / Sentir la brisa del suave aliento de mi recién nacido
With one to walk hand in hand / Caminar con alguien de la mano
To share this life that You have planned / Compartir esta vida que has planeado
It's like a storybook with dreams / Es como un libro de cuentos repleto de sueños
That are meant to see every next step is an extraordinary scene / Que me hace ver que cada paso que dé será una escena extraordinaria

[Estribillo]

I know that I've been given more than beyond measure / Sé que he recibido más allá de toda medida
I come alive when I see beyond my fears / Que cobro vida cuando veo más allá de mis temores
I know that I've been given more than earthly treasure / Sé que he recibido más que simples tesoros terrenales
I come alive when I've broken down and given You control / Que cobro vida cuando me derrumbo y te doy el control

(Estrofa 2)

I've faced a great tragedy but have seen the works of what You Bring / Me he enfrentado a una gran tragedia, pero he visto las maravillas que obras
A display of faith that You give / Una muestra de la fe que otorgas
I don't know if I will ever understand / No sé si alguna vez llegaré a entender
The depth of what it is You've done inside / La profundidad de lo que has hecho en mi interior

But I know that I won't find any worth apart from You / Pero sé que no encontraré nada más valioso que tú

[Puente]
Everything that I have has been given so unselfishly / Todo lo que poseo me lo has dado desinteresadamente
And shown that even when I don't deserve / Y me has demostrado que, aún cuando no me lo merezco
You always show the fullness of Your love[18] */ Siempre me ofreces la inmensidad de Tu amor*

El primer verso del estribillo («Sé que he recibido más allá de toda medida») representaba mi renovado aprecio por los regalos de Dios. Me había bendecido más allá de toda medida. Viajaba para cantar mis canciones, lideraba la alabanza y era testigo directo de cómo el Señor cambiaba las vidas a través de nuestro ministerio. Tenía la suerte de regresar a casa, de vivir con una esposa maravillosa y una hija increíble (esto sucedió antes de que naciera Arie) y de cubrir todas las necesidades de mi familia. No entré en el ministerio de la música para hacerme rico, y mi objetivo no había cambiado con el éxito. Sin embargo, el Señor había comenzado a brindarme algunas de esas bendiciones adicionales.

El último verso del estribillo resumía el lugar en el que me encontraba en ese momento de mi vida: «Cobro vida cuando me derrumbo y te doy el control».

Había dado mucha importancia a los detalles secundarios (la cantidad de conciertos, las ventas, las veces que ponían mis canciones en la radio), y ahora estaba empezando a darme cuenta de lo que de verdad contaba: *Lo único esencial es Dios.*

Solo tenía que renunciar a la idea de que yo estaba al mando.

Todos queremos tener el control, pero Dios quiere nuestros corazones. Las palabras de la Biblia son claras al respecto. Tan solo dos ejemplos:

Lucas 10:27: «Él [Jesús] respondió: "Ama al Señor tu Dios con todo tu corazón, con toda tu alma, con toda tu fuerza y con toda tu mente"».

> Mateo 6:33: «Más bien, buscad primeramente el reino de Dios y su justicia, y todas estas cosas os serán añadidas».

Tenía mucha experiencia en poner a Dios como el centro de mi existencia. Él era lo único que mi familia había tenido cuando mis padres habían sufrido problemas económicos y necesitábamos comida. Él era lo único que había tenido en el instituto Maranatha, cuando me pagaba los estudios limpiando los baños y pasando la aspiradora. Él era lo único que había tenido en California cuando vivía con Marge, la abuela de mi amigo, y necesitaba que mis amigos me llevaran en sus coches y me prestaran sus guitarras para tocar en las iglesias. Él era lo único que había tenido en los momentos más oscuros, después de que Melissa partiera a su hogar eterno.

Y ahora que había alcanzado un nivel de éxito que me permitía ser autosuficiente, Dios quería seguir siendo mi mundo entero.

Cuando por fin me vi obligado a reconocer que era yo el que estaba llevando el timón del barco y decidí dárselo a Dios, Él me recordó: «Quiero que me ames y confíes en el amor que te profeso. Yo me haré cargo de todo lo demás. Yo tengo el control, no tú. Tu ilusión de poder es solo eso, una ilusión, y es necesario romperla».

¡Qué alivio!

Capítulo 18

LLEGARÁ EL DÍA

Cuando volví a tener claras mis prioridades, Dios continuó desplegando sus bendiciones y demostrándome Su amor todos los días.

Arie llegó al mundo en el 2006. Cuando nació Bella, nuestra primera hija, creí que mi corazón se había derretido por completo, ¡pero Arie encontró otro pedazo que derretir!

Me han preguntado si tener niños afectó de algún modo a mi música. Estoy seguro de que quienes me lo preguntaron deseaban (incluso esperaban) una respuesta profunda. Normalmente suelo decepcionarlos porque, hasta la fecha, cuando miro hacia atrás, no encuentro ningún impacto directo en el ámbito musical (aunque ser padre sin duda me ha proporcionado un montón de anécdotas divertidas para contar en los conciertos).

Sin embargo, tener dos niñas me ha permitido comprender en mayor profundidad el corazón de mi Padre celestial. A medida que Bella y Arie empezaron a crecer y a gatear y luego a caminar, se convirtieron en recordatorios de carne y hueso de la gracia y el amor del Señor. Como padre, aprendí más sobre mi Padre.

Nuestro ministerio de la música también continuó recibiendo bendiciones. Agradecí enormemente que BEC me ofreciera un segundo contrato, y lo firmé encantado. También tuve el gran honor y privilegio de ser el coproductor del primer disco en solitario de mi persona favorita del mundo: Adie Camp.

Mientras seguía con las giras, no dejaba de compartir la historia de Melissa con el público y el camino que había recorrido para poder vivir con fe. Y me di cuenta de algo curioso: el interés de los medios va por épocas. Después de mi debut en la escena musical, haber logrado que algunas de mis canciones se hicieran famosas y ganar algunos premios, recibí muchas invitaciones para compartir mi historia en entrevistas dentro de los círculos de música cristiana. Muchas personas que conocía o que contactaban conmigo por correo electrónico querían que contara mi testimonio. Estaba en boca de todos. Luego atravesé ese período en el que intenté (sin éxito) ponerme al timón del barco.

Cuando logré salir airoso de esa etapa sin haber naufragado, antes de ceder el timón a Dios, volví a despertar el interés de los medios. Gran parte de esa atención vino de entrevistas en medios seculares y en medios cristianos de mayor envergadura que se dirigían a una audiencia más amplia que los que se enfocaban únicamente en la música. De pronto, empecé a recibir comentarios de fans que aseguraban que nunca habían oído mi historia.

Permitidme que deje clara una cosa sobre las canciones que alcanzaron los primeros puestos y sobre los premios que he recibido: no son mi objetivo principal en absoluto. Mi único objetivo es glorificar a Dios a través de la música.

Dicho esto, existen dos perspectivas diferentes con respecto a escribir canciones que alcanzan el éxito y ganar premios.

La primera, desde un punto de vista estrictamente musical, es que siempre es un placer recibir esos reconocimientos. A pesar de que no sean mi objetivo principal, ¡todavía no he devuelto ninguno! Soy músico. Somos personas creativas que trabajamos en un negocio donde todo es muy subjetivo, y nuestro trabajo recibe elogios y críticas, a veces al mismo tiempo. Dios me ha dado un don. La prueba de eso es la poca preparación musical que tenía al comienzo de mi carrera. Y como tengo un don, también tengo la responsabilidad de hacer lo mejor que pueda con él.

Al trabajar en un negocio subjetivo, sería una tontería por mi parte enfocarme exclusivamente en los premios y las cifras. Pero si los fans compran mis CD, descargan mis canciones, llaman a las emisoras de radio para pedir que pongan mi música y me votan para que gane premios, sería un poco hipócrita decir que nada de eso es importante. Lo es, y agradezco el apoyo que recibo.

La segunda perspectiva a tener en cuenta es que las canciones que se hacen famosas y los premios me permiten llegar a una audiencia mayor. Dios me ha dado la inspiración para escribir canciones y me ha brindado un testimonio para cumplir un propósito: compartir mi música con aquellas personas que necesiten esperanza y aliento. ¿Por qué no iba a querer hacer lo necesario para alcanzar a más personas?

Aun sí, hubo un momento en que pregunté si no debía dejar de compartir mi historia con Melissa.

A menudo he usado la palabra *historia* para describir lo que comparto en el escenario. Sin embargo, *historia* es una palabra que me resulta insuficiente. Lo que en realidad estaba compartiendo era una parte muy importante de mi vida, y una muy dolorosa. Dios había obrado en mí una recuperación increíble, que incluso me permitía subir al escenario y contar mi historia sin venirme abajo. Pero aun así, siempre tocaba fibras sensibles. El dolor nunca desaparecía. Algo que no esperaba, ni tampoco deseaba. Sé que puede parecer extraño, pero jamás he querido contar la historia sin sentir dolor. No quería que se convirtiera solo en una historia.

Pero además de eso, también quería respetar los sentimientos de Adrienne. Desde el primer día me había brindado su apoyo incondicional. Cuando le decía que estaba planteándome dejar de contar la historia durante los conciertos, al menos de forma temporal, siempre me alentaba a seguir compartiéndola, normalmente después de repetir las palabras de Melissa: «Aunque solo sea una persona…». Adrienne afirmaba que todavía le encantaba oír cómo compartía lo que Melissa albergaba en su corazón y su deseo de darlo todo por el Señor.

«Dios se ha valido de Melissa para tocar mi corazón y el de muchos otros, y eso es parte de lo que eres», me dijo Adrienne un día. «No pienses ni siquiera por un instante que voy a interferir en ello. Sé que tu historia llega a las personas. He visto el efecto que tiene en ellas. Es algo demasiado importante.»

Adrienne es una esposa increíble, y tal y como suele hacer, dio en el blanco cuando dijo esas últimas palabras. Una noche, en el autobús, mientras rezaba y me preguntaba si debía continuar contando la historia de Melissa, me acordé de un pasaje maravilloso de la Biblia que afirma que Dios es «quien nos consuela en todas nuestras tribulaciones para que, con el mismo consuelo que hemos recibido de Él, también podamos consolar a todos los que sufren»[19].

Yo había atravesado tribulaciones y había recibido el consuelo de Dios. Por eso podía conducir a otros que estuvieran pasando por sus propias tribulaciones a recibir el mismo consuelo.

Melissa encontró a esa persona (la enfermera) que había esperado y por la que había rezado para que abrazara a Cristo a través de su cáncer. Yo había tenido la bendición de encontrar y conocer a miles de personas más.

Así que sigo compartiendo la historia porque sé que muchas personas necesitan esperanza y aliento mientras lidian con el sufrimiento o la pérdida de un ser querido. Yo fui como ellos. Algunos días todavía lo soy.

Sinceramente, no hay nada en esta tierra donde depositaría mis esperanzas. Lo he intentado, y he hablado con muchas otras personas que también lo han hecho. Todos coincidimos en lo mismo: mantener cualquier esperanza terrenal no te lleva a nada.

He pasado por momentos difíciles que me han dejado sin esperanza, y preferiría no tener que revivirlos. Las personas que pierden la esperanza se rinden porque el sufrimiento y el dolor se vuelven intolerables.

Las conversaciones que he tenido con los fans en las mesas de *merchandising* tras los conciertos y los correos electrónicos y cartas que me han enviado son tantos que ni siquiera me atrevería a aventurar un número. «Jeremy, tus canciones me brindan esperanza y aliento». Y si bien siempre es agradable oír y leer algo así, la verdad es que esa esperanza y aliento provienen del Señor. Mis canciones no son más que los instrumentos que Él había escogido para llegar a sus corazones.

Regresar a casa

En mis más de diez años de conciertos y giras, me he alojado en un buen número de hoteles. Y muy variados. Algunos eran tan malos que no querría volver a verlos ni en pintura. En otros me han consentido con sus comodidades y sus servicio de primera clase. Pero independientemente del lugar, ¿sabéis qué es lo que más me gusta de los hoteles? ¡La salida! Sobre todo si me voy para regresar a casa.

Puedo estar en un hotel donde un botones me lleva las maletas, el servicio de habitaciones me entrega una comida exquisita y una señora de la limpieza me hace la cama y ordena mi habitación. Pero aun así, no veo la hora de dejar todo eso atrás para conducir de regreso a mi hogar y cargar con mis propias maletas hasta el interior, donde me espera mi familia, cocinar algunas hamburguesas en la parrilla y después hasta puede que pasar la aspiradora y limpiar el baño para recordar ese año de instituto.

¿Por qué? Porque aunque me encuentre a gusto en ese hotel, *no* es mi casa.

No es más que un lugar temporal donde quedarse.

Tendemos a ignorar la realidad de que este mundo no es nuestro verdadero hogar; es solo un lugar temporal. El cielo es mi hogar, y estoy deseando dejar este «hotel» que es la tierra para dirigirme allí. Recuerdo las palabras que mi amigo Jean-Luc pronunció junto a la tumba de Melissa: «¡Qué llegue el día!». Aun cuando estamos sumidos en nuestras tribulaciones, dolor y sufrimiento, debemos pensar en el cielo.

¡Mi esperanza y tu esperanza (*nuestra* esperanza) está en el cielo!

Por mi experiencia, puedo decir que Apocalipsis 21:4 ofrece un gran consuelo a aquellos que están sufriendo. Nos dice que, por desesperadas que parezcan nuestras circunstancias, llegará el día que todos estamos esperando: «Él les enjugará toda lágrima de los ojos. Ya no habrá muerte, ni llanto, ni lamento, ni dolor, porque las primeras cosas han dejado de existir».

En Romanos 8:18, Pablo confirió a las dificultades una perspectiva eterna cuando escribió: «De hecho, considero que en nada se comparan los sufrimientos actuales con la gloria que habrá de revelarse en nosotros».

Dejadme que os diga algo: yo he sufrido. He sufrido hasta tal punto que pensé que no podía ir a peor, y luego resultó que sí. He sufrido más de lo que pensé que podía sufrir y he sobrevivido. Pero aunque el péndulo haya llegado al extremo del dolor en mi vida, Dios nos ha prometido a través de Su Palabra que llegará el día en el que ese péndulo se moverá hacia el extremo de la gloria, e incluso más allá.

¡Mi esperanza reside en esa promesa de la gloria eterna!

Inspirado por esos versículos del Apocalipsis y Romanos, escribí la canción «There Will Be a Day» (Llegará el día). Cuando la grabamos, un coro cantó el estribillo y el puente. Una de las mujeres del coro padecía dolor crónico. Mientras cantaba sobre el día en el que no habría más sufrimiento y dolor, cerró los ojos y alzó las manos en alabanza, aceptando la esperanza de que algún día ella estaría en su verdadero hogar, donde ya no tendría el dolor que sufría en la tierra.

Esa es una esperanza a la que merece la pena aferrarse, y como soy uno de los que se ha aferrado a ella con todas sus fuerzas, os aseguro que es una esperanza que vale la pena compartir porque sé que «llegará el día».

(Estrofa 1)
I try to hold on to this world / Intento aferrarme a este mundo
With everything I have / Con todo lo que tengo
But I feel the weight of what it brings / Pero siento el peso de lo que trae consigo
And the hurt that tries to grab / Y el dolor que trata de asentarse
The many trials that seem to never end / Las innumerables dificultades que parecen no tener fin
His word declares this truth / Su Palabra declara esta verdad
That we will enter in this rest / Que entraremos en este descanso
With wonders anew / Con maravillas renovadas.

[Estribillo]
But I hold on to this hope / Pero me aferro a esta esperanza
And the promise that He brings / Y a la promesa que Él nos trae
That there will be a place with no more suffering / Que hay un lugar donde no se sufre
There will be a day with no more tears / Que llegará el día en que no habrá lágrimas

No more pain and no more fears / Ni dolor, ni miedos
There will be a day / Llegará el día
When the burdens of this place / En el que las cargas de este mundo
Will be no more / Desaparecerán
We'll see Jesus face-to-face / Y veremos a Jesús cara a cara

But until that day / Pero hasta que ese día llegue
We'll hold onto You always / Nos aferraremos a ti siempre

(Estrofa 2)
I know the journey seems so long / Sé que el viaje parece muy largo
You feel you're walking on your own / Que sientes que estás recorriéndolo solo
But there has never been a step / Pero nunca has dado un paso
Where you've walked out all alone / En completa soledad

Troubled soul, don't lose your heart / Alma atormentada, no pierdas la esperanza
'Cause joy and peace He brings / Porque la alegría y la paz que Él trae
And the beauty that's in store / Y la belleza que te espera
Outweighs the hurt of life's sting / Supera el dolor de toda una vida

[Estribillo]
But I hold on to this hope / Pero me aferro a esta esperanza
And the promise that He brings / Y a la promesa que Él nos trae
That there will be a place with no more suffering / Que hay un lugar donde no se sufre
There will be a day with no more tears / Que llegará el día en el que no habrá lágrimas
No more pain and no more fears / Ni dolor, ni miedos
There will be a day / Llegará el día

When the burdens of this place / En el que las cargas de este mundo
Will be no more / Desaparecerán
We'll see Jesus face-to-face / Y veremos a Jeús cara a cara

But until that day / Pero hasta que ese día llegue
We'll hold onto You always / Nos aferraremos a ti siempre

[Puente]
I can't wait until that day / No puedo esperar a que llegue ese día
When the very one I've lived for always / Cuando el mismo que he vivido siempre
Will wipe away the sorrow that I've faced / Borrará la tristeza a la que he tenido que enfrentarme

To touch the scars that rescued me / Para tocar las cicatrices que me rescataron
From a life of shame and misery / De una vida de vergüenza y miseria
This is why, this is why I sing / Por eso canto, por eso canto

[Estribillo]
There will be a day with no more tears / Llegará el día en el que no habrá lágrimas
No more pain and no more fears / Ni dolor, ni miedos
There will be a day / Llegará el día
When the burdens of this place / En el que las cargas de este mundo
Will be no more / Desaparecerán
We'll see Jesus face-to-face / Y veremos a Jesús cara a cara

There will be a day with no more tears / Llegará el día en el que no habrá lágrimas
No more pain and no more fears / Ni dolor, ni miedos
There will be a day / Llegará el día

When the burdens of this place / En el que las cargas de este mundo
Will be no more / Desaparecerán
We'll see Jesus face-to-face / Y veremos a Jesús cara a cara

There will be a day / Pero hasta que llegue ese día
He'll wipe away the tears/ Él enjugará las lágrimas
He'll wipe away the tears / Él enjugará las lágrimas
He'll wipe away the tears / Él enjugará las lágrimas
There will be a day[20]*. / Llegará el día*

Envuelto en amor y paz

A finales de la primavera del 2009, nos enteramos de que Adrienne estaba embarazada de nuestro tercer hijo. En agosto, cuando fue a la revisión de la semana catorce, el médico no pudo encontrar el latido del corazón del bebé. Dijo que eso no era algo inusual en esa etapa del embarazo. Le hicieron una ecografía de inmediato y el médico nos confirmó que el corazón del bebé había dejado de latir hacía una semana.

No habíamos dado nada por sentado con respecto al embarazo, pero cuando Adrienne entró en el segundo trimestre, habíamos respirado aliviados, ya que sabíamos que el riesgo de un aborto natural disminuían en esa etapa. El informe del médico nos pilló por sorpresa.

Había visto muchas veces a Adrienne apoyando la mano sobre el vientre y rezando por el pequeño que crecía en su interior. Teníamos pensando preparar una habitación para el bebé y estábamos deseando saber si tendríamos a nuestra tercera hija o a nuestro primer hijo. Bella y Arie estaban pletóricas ante la perspectiva de tener una hermana o un hermano nuevo.

Necesitábamos sentir la fuerte presencia de Dios y, como siempre, Él estuvo allí para nosotros. Cuando Adrienne escribió sobre el aborto en nuestro blog, dijo: «Dios nos ha envuelto con su amor y paz. Sabemos que Él es fiel y no dudamos ni siquiera durante un instante que Él tiene el control. Estamos inmensamente agradecidos por la esperanza que tenemos en Cristo».

El día antes de enterarnos del aborto, a Adrienne la había llamado una amiga que le pedía que rezara por el hijo de un pastor local que había tenido un accidente de coche y que se encontraba en estado crítico. (El muchacho al final no lo superó). Mientras hablaban, la amiga de Adrienne dijo que esperaba que el Señor nunca pusiera a prueba su fe de esa manera.

Adrienne pensó en esa conversación (sobre todo en la última parte) durante el resto del día. A la mañana siguiente, mientras rezaba, se arrodilló y le dijo al Señor que ella nunca querría limitar lo que Él podía obrar en su vida y que, fuera lo que fuese lo que Él quisiera que atravesara, ella lo haría con gusto.

Horas después, esa misma mañana, el médico nos informó que habíamos perdido al bebé.

Cuando les contamos a nuestros padres la noticia, Adrienne le dijo a mi madre lo que había pasado mientras rezaba y mi madre le respondió:. «Adrienne, el Señor está fortaleciendo tu testimonio».

La mañana siguiente a la ecografía, leímos las Escrituras juntos y nos concentramos en todas las cosas que Dios había obrado en nuestras vidas y en todo lo que nos estaba brindando en ese momento. Por lo visto, el salmo 16 se escribió en un momento desesperado, cuando la vida de David corría peligro. En el primer versículo, David declaraba que busca refugio en Dios. En el resto de los versículos, a pesar de las circunstancias adversas que lo rodeaban, David hablaba con seguridad sobre la confianza que tenía depositada en el Señor. Ese pasaje nos resultó especialmente reconfortante.

Y, como de costumbre, mi madre había tenido razón. El testimonio de Adrienne se había fortalecido. Habíamos compartido con gran entusiasmo el embarazo en Twitter, blogs y otras redes sociales. Y del mismo modo, también hicimos pública nuestra tristeza. Pero tal y como el Señor había obrado en mí con respecto a Melissa, transformó las dificultades en oportunidades. Adrienne ha podido ponerse en contacto con otras mujeres que han sufrido abortos espontáneos y les ha hablado de la bondad de Dios en todas las circunstancias.

Más adelante, Adrienne me confesó que esa experiencia dolorosa la había ayudado a comprender mejor lo que yo debía de haber sentido con la pérdida de Melissa. Antes se había compadecido de mí. Solía decir cosas tales como «Ay, no me imagino tener que pasar por algo parecido». Ella no intentaba comparar el aborto con la muerte de Melissa, pero perder a un bebé que ambos amábamos la dejó destrozada. Mientras compartíamos ese dolor, me dijo: «Ahora entiendo lo que sentiste y todo lo que has sufrido ».

La pérdida de nuestro bebé nos hizo apreciar aún más el hecho de tener dos hijas sanas que iluminan nuestra vida todos los días, pero el aborto también reavivó mi antiguo miedo a perder a una de nuestras pequeñas.

Tal vez estamos destinados a tener dos niñas, por eso perdimos al bebé, pensé. Durante un tiempo, luché con la idea de intentar tener otro. No quería volver a pasar por nada similar al aborto. No quería arriesgarme a volver a sufrir ese dolor.

El mayor obstáculo al que tuve que enfrentarme fue permitirme ser lo suficientemente vulnerable para volver a confiar en Dios.

Sin embargo, después de un tiempo logré sentirme en paz con la perspectiva de tener otro bebé sabiendo que, pasara lo que pasase, Dios tenía un plan para nuestra familia y Él sabía exactamente lo que estaba haciendo.

A finales del 2010, nos enteramos de que Adrienne estaba embarazada. Nos alegramos mucho y, aunque fuimos más cautelosos a la hora de dar a conocer la noticia, confiamos plenamente en que Dios cuidaría de nuestro bebé.

Como teníamos dos hijas, siempre me preguntaban: «¿Quieres una niña o un niño?». Me habría llevado una alegría si hubiera tenido otra niña porque Bella y Arie eran muy dulces y divertidas. Pero cuando el médico nos informó que se trataba un niño, me sentí exultante. «¡Entrenará y jugará al fútbol!», exclamé.

El 17 de agosto del 2011, nuestro pequeño recluta vino al mundo. Lo llamamos Egan Thomas. Egan significa «fervor por la casa del Señor» y «pequeño guerrero». Todo lo que he deseado desde que nació ha sido «¡Haz de él un guerrero para Ti, Señor! ¡Qué nunca mire para un lado o para otro, sino que solo tenga ojos para Ti!».

Después de tener dos hijas, he notado que los niños varones son distintos. Para mis hijas, quiero ser un hombre de Dios, pero con Egan quiero ser un hombre de Dios que le sirva como ejemplo a fin de que siga mis pasos. Me doy cuenta de que él estará observando mi camino y la manera en la que me relaciono con el Señor. Quiero que vea que su padre entrega todo por Cristo con gran pasión y que su fe no flaquea. Y después rezo para que Egan se convierta en esa clase de hombre.

Capítulo 19

ARRIESGAR TODO POR LA PALABRA DE DIOS

Siempre he intentado ser un buen guardián de la historia que Dios me ha otorgado y que todavía está escribiendo a través de mí. Ser un buen guardián también significa confiar y respetar Sus tiempos.

Debido al gran interés que mi historia ha despertado durante mucho tiempo, he recibido numerosas ofertas para plasmarla en un libro o en una película. Siempre la he compartido durante los conciertos, pero no creía que tuviera todos los elementos necesarios para contarla en alguno de esos formatos. El Señor todavía me estaba guiando por el proceso de curación y la nueva vida con Adrienne y nuestros hijos.

No fue hasta el embarazo de Adrienne de Egan cuando empecé a sentir que había llegado el momento de dar el próximo paso con mi historia. En el 2011, lancé la primera versión de este libro. Al año siguiente, comencé a trabajar en una versión revisada y ampliada que tenía una estrategia diferente de publicación gracias a la cual llegaría a más personas. El libro salió a la venta más de una década después del fallecimiento de Melissa, pero subestimé lo difícil que sería revivir esa parte de mi vida durante el proceso de escritura. Porque *revivir* es la palabra correcta. Y es que, mientras hablaba con las personas que me ayudaron a que el libro se hiciera realidad, no solo me vi obligado a recordar detalles en los que llevaba sin pensar mucho tiempo, sino que también tuve que describir escenas que había intentado olvidar. Eso desencadenó una oleada de dolor y tristeza con la tuve que lidiar.

Después de la publicación del libro y de ver las reacciones de las personas que lo habían leído, me di cuenta de que el nivel de empatía que se originó con los lectores estaba directamente relacionado con la profundidad con la que había volcado mis emociones mientras lo escribía. Aprendí una lección muy valiosa sobre el poder de nuestros testimonios: aunque las circunstancias de las historias personales de cada uno puedan variar mucho, cuánto más dispuestos estemos a ahondar en nuestros sentimientos y emociones con los demás, más cosas en común descubriremos que tenemos. De esa manera podemos sentir empatía con el otro, cuidarnos y experimentar juntos la sanación de Dios en niveles más profundos. En otras palabras, sabía que no iba a encontrar a muchas personas que hubieran perdido a sus cónyuges a consecuencia del cáncer tres y meses y medio después de casarse. Mi historia habla de circunstancias específicas que quizás muy pocos hayan vivido y hayan tenido que superar. Sin embargo, al centrarme en los problemas de miedo y falta de confianza después de la muerte de Melissa, consigo conectar con personas que se sienten identificadas con esos problemas con independencia de las circunstancias de sus historias y las ayudo a encontrar lo que tuve que aceptar como una nueva normalidad en mi vida.

Escribir las primeras versiones de este libro no fue fácil, pero valió la pena. El deseo de brindar un buen testimonio de lo que Dios había obrado en mi vida continuó tras escribir el libro. Poco después de su publicación, mi representante, Matt Balm, recibió una llamada de Kevin Downes, actor, guionista, productor y director en activo en la industria cinematográfica cristiana.

Kevin acababa de interpretar a Shane, uno de los protagonistas de *Reto de valientes* (España) / *Valientes* (Hispanoamérica). En ese momento, las películas inspiradas en historias reales relacionadas con la fe gozaban de una renovada popularidad, y Kevin quería hacer una película basada en mi libro. Dimos los primeros pasos para encontrar un director y un guionista, pero los resultados no nos convencieron. En ese momento no quise forzar nada porque, si no seguíamos los tiempos de Dios, la película no alcanzaría el impacto que podía tener. Dejamos de lado el proyecto y prácticamente me olvidé del asunto.

Mientras tanto, recibí noticias del pastor de mi grupo juvenil en Indiana, Jed Gourley. Jed, su cuñada, Melanie, y el marido de esta, Paul, estaban trabajando como misioneros en Kirguistán, un país con una mayoría musulmana del noventa por ciento, situado junto a la frontera occidental de China. Adrienne y yo habíamos fundado la organización Speaking Louder Ministries en 2012, que tenía como objetivo llevar el mensaje de Cristo a cada rincón del mundo. Como parte de nuestro ministerio, nos asociamos con iglesias de países extranjeros para organizar encuentros, que incluían conferencias de liderazgo y alabanza, proyectos de asistencia sanitaria y campañas de evangelización.

Jed me envió un correo electrónico para preguntarme si estaría interesado en actuar con mi banda en Kirguistán. Investigué un poco y descubrí que el país estaba pasando por una época de una gran agitación civil y un enorme rechazo hacia el cristianismo, razón por la cual estaban expulsando a los misioneros. Le respondí que, teniendo en cuenta la convulsión que sufría la zona, no me parecía seguro hacer ese viaje.

Jed me respondió con mucha amabilidad y me dijo que, si no creía que Dios quería que fuera a Kirguistán, entendía mi reticencia. Después agregó que esa podría ser la última oportunidad de llegar al país ya que el gobierno estaba cerrando las puertas a la predicación y a cualquier declaración sobre el cristianismo. Las iglesias tendrían que pasar a la clandestinidad.

Ay, Dios, pensé cuando leí esas palabras. Conocía muy bien a Jed y sabía que no estaba intentando presionarme. Sentí la desesperación en el tono de su correo. Comencé a preguntarme cómo era posible que me estuviera *negando* a hacer ese viaje. Siempre había hablado de entregarme por completo a Dios, y teniendo en cuenta mi historia, era evidente que había pasado por mucho a lo largo de mi vida. Dios nunca me había abandonado. Mi último álbum en esa época era *Reckless* (Temerario). La canción que le daba nombre hablaba de seguir ciegamente el camino que marcara el Señor.

Adrienne y yo empezamos a rezar. Informé a los chicos de la banda sobre la propuesta, y ellos también hicieron lo mismo. Al final, la decisión de viajar a Kirguistán nos produjo una enorme paz interior, y Jed comenzó el proceso para tramitar la entrada al país.

El Ministerio de Religión de Kirguistán y el Comité para la Seguridad Estatal nos investigaron. Por lo visto, los premios que había recibido ayudaron a nuestra causa, pero querían leer las letras de nuestras canciones. Como sabía que todas ellas hablaban de Jesús, pensé: *¡Por favor, leed todas las que queráis!* Al final nos dieron el visto bueno para entrar en el país, pero nos dijeron que teníamos que limitarnos a tocar nuestra música y que no podíamos difundir nada sobre el cristianismo.

Nos mantuvimos al tanto de las últimas noticas de Kirguistán, y no sé si porque empezábamos a conocer mejor la situación del país o porque era lo que realmente estaba sucediendo, pero las acciones contra la comunidad cristiana parecían estar incrementándose. Todos seguimos teniendo la misma sensación de paz, pero algo nos dijo que sería un viaje ajetreado.

Cubrirme las espaldas... y medir mis palabras

Programamos una semana de eventos y conciertos en Kiev, Ucrania, antes de aterrizar en Kirguistán. A uno de esos conciertos asistió un millar de personas y cientos de ellas se entregaron a Cristo. Después de presenciar esa increíble respuesta, nos subimos al avión que nos llevaría hacia Kirguistán llenos de entusiasmo. A pesar de que había perdido la voz después de tocar en un concierto tras otro, era evidente que Dios estaba guiando el viaje.

No lo supimos en ese momento, pero el día que llegamos a Biskek, la capital, la CBN News publicó un artículo en línea titulado «Secret Believers Share Faith Under Fire» (Predicar la fe en secreto y bajo amenaza). El artículo describía cómo los creyentes de Kirguistán y tres países vecinos se reunían en secreto en el primero de ellos debido al aumento de las restricciones a la libertad religiosa y a las amenazas que estaban recibiendo los cristianos de palizas, arrestos o muerte[21].

Cuando aterrizamos en Kirguistán, nos invadió una sensación muy diferente a la euforia anterior. Al bajar del avión, sentimos una opresión tan fuerte que nos dio la impresión de haber entrado en una habitación a oscuras, sin saber lo que había dentro o lo que sucedería a continuación. Fue como si me estuvieran aplastando el pecho. Todos los integrantes del grupo que habíamos viajado hasta allí, incluido mi padre, tuvimos esta extraña sensación de *¿qué está pasando aquí?* En el hotel, sentí una resistencia palpable a lo que habíamos ido a hacer allí: proclamar a Cristo. A la mañana siguiente, nos reunimos y hablamos sobre la necesidad que teníamos todos de rezar. Gracias a esos momentos de oración sentimos una renovada sensación de paz y tuvimos la seguridad de que Dios nos guiaría y protegería durante la semana que estaríamos en la zona.

Mi padre habló ante un grupo de iglesias de la zona y citó algunos ejemplos de su vida para demostrar cómo nuestro sufrimiento había realzado la belleza y gloria de Dios. Leyó de Filipenses 1:12-14:

> Hermanos, quiero que sepáis que, en realidad, lo que me ha pasado ha contribuido al avance del evangelio. Es más, se ha hecho evidente a toda la guardia del palacio y a todos los demás que estoy encadenado por causa de Cristo. Gracias a mis cadenas, ahora más que nunca la mayoría de los hermanos, confiados en el Señor, se han atrevido a anunciar sin temor la palabra de Dios.

Tratándose de una cultura que tiene un gran respeto por los padres y personas mayores, la participación de mi padre en la misión surtió un mayor impacto. Y cuando nos enteramos con más detalle del temor a posibles persecuciones que sufrían los líderes de las iglesias locales, el pasaje que leyó nos resultó todavía más apropiado.

Durante un encuentro de oración, leí un pasaje de las Escrituras que Adrienne me había enviado por correo electrónico:

> Entonces su palabra en mi interior
> se vuelve un fuego ardiente
> que me cala hasta los huesos.
> He hecho todo lo posible por contenerla,
> pero ya no puedo más.
> Escucho a muchos decir con sorna:

«¡Hay terror por todas partes!»
y hasta agregan: «¡Denunciadlo!
¡Vamos a denunciarlo!»...

Pero el SEÑOR está conmigo
como un guerrero poderoso;
por eso los que me persiguen
caerán y no podrán prevalecer,
fracasarán y quedarán avergonzados.
Eterna será su deshonra;
jamás será olvidada.

¡Cantad al SEÑOR, alabadlo!
Él salva a los pobres
del poder de los malvados. (Jeremías 20:9-11,13)

Estábamos recibiendo la confirmación de que el Señor nos protegería, tanto en Kirguistán como en nuestro hogar.

El primer gran evento de la misión fue una conferencia de prensa. Una conferencia en la que obviamente estaban presentes los funcionarios del Ministerio de Religión, que ni siquiera intentaron ocultar su presencia, para vigilarnos y, sobre todo, para controlar lo que yo decía. El hecho de que unos músicos norteamericanos visitaran el país era todo un acontecimiento, y mi rostro aparecía en todas las vallas publicitarias de Biskek. Nuestra llegada había despertado una enorme expectación, ya que los miembros de las iglesias locales habían traducido nuestras canciones al ruso, no solo para los habitantes de Kirguistán, sino también para los de los países vecinos. Los medios de comunicación de la zona querían saber por qué habíamos decidido visitar el país. De hecho, era una pregunta que me habían hecho de diferentes maneras durante la conferencia de prensa. Cada vez que la respondía decía que habíamos ido allí para tocar y que sus gentes conocieran nuestra música.

Una periodista que no dejaba de mirarme fijamente me preguntó con cierta contundencia: «Pero *¿por qué* estáis aquí?».

Me hubiera encantado responder: «Quiero hablar a las personas de Jesús e invitarlos a dar un paso adelante y aceptarlo como su Señor y Salvador». Pero sabía que tenía que andar con mucho cuidado con lo que decía, en especial cuando se trataba de pronunciar el nombre de Jesús.

—He pasado por muchas cosas en mi vida —respondí antes de hacer un breve resumen de mi historia—. Dios me ha ayudado a superarlo —concluí—. Me ha demostrado que es leal, y me ha brindado esperanza en medio de la adversidad. Quiero compartir que la esperanza existe precisamente porque todos tenemos que enfrentarnos a batallas y a momentos difíciles.

No sé si la periodista se quedó satisfecha con mi respuesta, pero dejó de mirarme fijamente.

Después de esa conferencia, concedí más entrevistas y fui adquiriendo un poco más de seguridad con cada una de ellas. En una incluso ofrecí más detalles de mi testimonio y hablé sobre cómo Jesús me había salvado la vida.

Nuestra agenda incluía una noche de alabanza para jóvenes que provenían de iglesias locales. Los juventud del país se encontraba en el centro de una gran batalla espiritual, ya que se veían bombardeados por filosofías no cristianas, por no mencionar las altas tasas de consumo de drogas y alcohol. Mientras entraba en el lugar de la reunión, oí que Jed decía a alguien:

—Tendremos que ocuparnos de eso más tarde.

Me detuve y me volví hacia él.

—¿Ocuparnos de qué? ¿Qué pasa?

—No te preocupes —respondió—. Luego hablamos.

Soy la clase de persona que prefiere tener ese tipo de conversación en el momento y no después.

—Ya sabes cómo soy —le dije—, así que será mejor que me digas qué sucede.

—Bueno —respondió a regañadientes—, tenemos amigos que están pendientes de las noticias, y todos los medios recomiendan no asistir al concierto de Jeremy Camp, ya que se ha organizado para provocar y sin duda agitará a las masas.

Ah, genial. ¿Qué estamos haciendo aquí?

—El Ministerio de Religión nos llamó —continuó Jed— y puede que cancelen todo el evento o que te permitan tocar, pero solo si te limitas a cantar y no hablas entre canciones.

Como si esa amenaza no fuera suficiente, Jed me comentó que debía tener cuidado con lo que decía por el bien del pastor local, Pasha, porque el Ministerio lo estaba responsabilizando del concierto.

—Dicen que, si dices algo inadecuado —me advirtió Jed —condenarán a Pasha a un año de prisión.

Empezaba a estar aterrado. Temía decir algo inadecuado (ni siquiera tenía claro qué entendían por «inadecuado») y que por mi culpa metieran a Pasha en la cárcel. Era una carga demasiado abrumadora.

Seguí adelante con el evento para jóvenes sumido en la incertidumbre. Mientras liderábamos la alabanza, sentí como si una opresión pesada y oscura cayera sobre el público, además del miedo que se había apoderado tanto de mí como de los presentes.

Cuando la banda y yo termináramos de tocar, una antigua Miss Ucrania nos brindó su testimonio. Invitamos a los jóvenes a rezar, y docenas de ellos se acercaron a hacerlo. Mientras rezábamos, no pude evitar preguntarme qué les sucedería cuando terminara el evento y regresaran a sus hogares y a sus vidas.

Comencé a cantar una canción de alabanza y el miedo se disipó al instante. El muro de resistencia se desmoronó. Me invadió un sentimiento arrollador de *Lo lograremos. Gracias a la fuerza y poder de Dios, podemos hacer esto, sin importar lo que suceda.* Todo el lugar pareció liberarse de un peso enorme. Otros jóvenes comenzaron acercarse al escenario, donde todos adoramos a Dios, compartiendo un momento realmente emotivo.

Después del evento, salimos a cenar. Miré a Jed y le pregunté:

—¿Debería cubrirme las espaldas?

Jed no es una persona alarmista en absoluto. Pero respondió:

—Sí, ten cuidado.

Entonces me acordé de que mi cara estaba por todo Biskek; no había forma de esconderme.

Más tarde, esa misma noche, llamé a Adrienne. Cuando respondió, lo único que le dije fue:

—Cariño.

—Hola, mi amor —respondió ella—. ¿Cómo estás?

Empecé a llorar.

—¿Qué sucede? —preguntó.

Le conté lo que había pasado.

—No sé si vamos a dar o no el próximo concierto —le dije—. Pero si al final se lleva a cabo y digo algo inadecuado, amenazan con enviar a Pasha a prisión un año.

—¡¿Qué?!

—Sí. No sé cómo va terminar todo esto. Quiero ir a casa. Estoy listo para regresar.

—Cariño —dijo ella armada de valor—. Te llamaron para que estuvieras presente en un momento como ese. Volverás a casa. Pero ahora mismo tienes que estar allí. Estoy plenamente convencida. Con todo mi corazón.

Las palabras de Adrienne sacudieron mi mundo. Cuando colgué dije: «Dios, no puedo hacer esto. Soy demasiado débil».

Percibí su respuesta en mi interior: «Perfecto. Ahora estás listo para hacerlo».

Durante el resto del viaje me entregué por completo a Dios y admití que no podía terminar la misión solo con mis propias fuerzas. *Es verdad, no puedes hacerlo*, sentí que Él me decía. *Quiero que solo pronuncies Mis palabras.*

Por supuesto, ese era nuestro objetivo principal... siempre. Pero en esas circunstancias, ese pensamiento adquirió un significado adicional, ya que el Señor básicamente me estaba diciendo: «No abras la boca a menos que yo te lo diga».

Tuvimos un día de descanso antes del concierto final y, a pesar del éxito del encuentro con los jóvenes, nuestras expectativas habían menguado. El gobierno había emitido advertencias públicas sobre el evento a través de la prensa. Habíamos recibido amenazas de muerte, entre las que se encontraban la posible presencia de un francotirador y una bomba. Y el pronóstico del tiempo anunciaba lluvia para todo el día.

Esa noche, convocamos a nuestro grupo de oración que se encontraba al otro lado del mundo, y nos reunimos con los líderes de las iglesias locales para compartir un momento poderoso de oración. Los líderes locales llevaban años rezando por ese momento mucho antes de que nos invitaran a visitar su país. Siempre que habla de esa noche, Jed afirma que tuvo el presentimiento de que ese concierto sería la culminación del trabajo que Dios había estado obrando en los corazones de los habitantes de Kirguistán.

Una experiencia transformadora

Cuando llegamos al estadio para nuestro concierto, nos recibieron manifestantes. La policía ya nos había informado de que habían detenido a un hombre por amenazarnos de manera violenta.

Cuando los miembros de la banda y yo nos reunimos para rezar antes de que comenzara el concierto, las emociones estaban a flor de piel. Os aseguro que nuestras oraciones abarcaron todos los aspectos, desde el clima hasta los francotiradores. El guardaespaldas que nos habían asignado y con el que había mantenido una relación muy estrecha, por así decirlo, en los últimos días, entró en el camerino. Venía con una expresión de terror en el rostro.

—¿Te encuentras bien? —le pregunté.

Se llevó la mano derecha al pecho e hizo el gesto de un corazón latiendo con rapidez.

—Las cosas están bastante agitadas ahí fuera —respondió.

—Está bien —dije.

—Si tú caes, caemos juntos —afirmó en un inglés con un marcado acento extranjero.

No sabía si estaba intentando animarme con esa frase, pero si ese era el objetivo, ¡falló estrepitosamente! Por supuesto que me alegraba que estuviera dispuesto a dar su vida para protegerme, pero a falta de unos pocos minutos para salir al escenario, ¡deseé con todas mis fuerzas que eso no fuera necesario!

Cuando salimos del camerino dije al Señor: «Vamos allá. Todo esto es por ti».

Yendo hacia el escenario, los chicos y yo empezamos a cantar una canción de alabanza. Sentí paz y alegría. Y luego tuve la impresión de recibir una inyección de energía, pero que no provenía de mí, sino de Dios. He visto una fotografía que fue tomada cuando nos dirigíamos al escenario. Parecía completamente despreocupado. Al fondo se veía a mi guardaespaldas, observando a la multitud con una expresión de concentración en el rostro. Teníamos actitudes completamente opuestas. ¡La fortaleza y el poder de Dios son increíbles!

Lo primero que sucedió fue que, excepto por una llovizna refrescante que cayó justo antes del concierto, no llovió. Desde el escenario, miré al cielo y vi nubes oscuras por todos lados, menos sobre el estadio. Era como si se hubiera levantado una especie de cúpula para protegernos.

Lo segundo, que durante todo el concierto me sentí en completa sintonía con el Espíritu Santo. Suelo hablar mucho entre canción y canción, pero esa noche, solo compartí lo que sentí que el Espíritu Santo me estaba indicando.

Asistieron unas ocho mil personas. Tuvimos un buen comienzo, pero tan pronto como canté las palabras «Jesus, You are the way» (Jesús, Tú eres el camino) unas dos mil personas abandonaron el lugar de forma espontánea. Por lo visto, una cuarta parte del público estaba deseando marcharse, pero estaba esperando a que alguien tomara la iniciativa. Los observé partir mientras tocaba. Pero no cambié nada de lo que estaba haciendo. Cuando el Espíritu Santo me instaba a hablar, lo hacía. Si no sentía su impulso, callaba. Desde un punto de vista del espectáculo, me sentí incómodo al hablar menos de lo normal, pero estaba decidido a no decir nada a menos que estuviera muy seguro.

Cuando terminamos de tocar, Pasha se hizo con el micrófono. No mencionó la palabra *salvación*, pero dijo: «Si queréis saber más sobre Jesús, aquí hay personas dispuestas a hablar con vosotros».

Me habría gustado ver la reacción del público, pero el personal de seguridad nos sacó a toda prisa del escenario y, debido a las amenazas que habíamos recibido, nos condujo de inmediato a un coche que nos estaba esperando fuera. Incluso ahora, mientras escribo esto, me sigue pareciendo raro, y no me agrada la idea de escapar del escenario nada más terminar el concierto. Pero en esas circunstancias, lo mejor que podíamos hacer era eliminar la fuente de las amenazas (es decir, un servidor) y dejar que los pastores locales predicaran a su pueblo como sabían hacerlo.

En el coche, mi padre me dijo: «Nunca te había visto tan consagrado a tu tarea ».

Todavía hoy puedo afirmar que todo lo que dije esa noche provino del Señor y que no abrí la boca a menos que Él me lo indicara. Fue el momento más trascendental que he vivido. Y creo que se debe a que, por muy descabellada que fuera la situación o sombría que fuera la atmósfera, sabía que Dios me quería allí para compartir cómo mi historia lo glorificaba. Como me había dicho Adrienne por teléfono, estaba allí por designio del Señor. Había albergado muchas dudas y preocupaciones desde el instante en el que habíamos decidido viajar hasta el momento en el que subimos al escenario esa noche. Pero también comprendía que, cuando decido hacer lo que Dios me llama a hacer en lugar de escapar, Él tiene la grandeza suficiente para protegerme sin importar lo que esté sucediendo a mi alrededor.

Dios manifestó su presencia esa noche en Kirguistán. Más adelante me enteré de que, mientras nos dirigíamos al coche, Pasha también dijo al público desde el escenario que «si este norteamericano ha venido aquí y ha sido tan valiente para compartir su mensaje desde el escenario, entonces *nosotros* también debemos seguir su ejemplo».

Por lo que tengo entendido, nuestra semana allí tuvo un impacto prolongado en Biskek. Me han contaron que sus habitantes reaccionaron ante el hecho de que un músico norteamericano dejara la seguridad de su país para visitar su tierra y proclamar el mensaje del evangelio. Mi versión es que ese músico norteamericano estaba aterrado y no sabía con certeza qué estaba haciendo allí, pero el Espíritu Santo le permitió cumplir con lo que Dios lo había llamado a hacer en Kirguistán. Cualquier acto de valentía que exhibí provino de Dios.

Al final, Jed y su familia tuvieron que abandonar Kirguistán porque no les renovaron los visados después del concierto. Ahora se encuentran haciendo un trabajo excelente en Georgia, y Paul y Melanie están sirviendo en Oriente Próximo.

He tenido mi buena cuota de experiencias transformadoras, ¡mi vida no es para nada aburrida! Ese viaje a Asia Central fue una de ellas. He predicado en numerosos países, pero Kirguistán fue el primer lugar peligroso donde me encontré con una gran resistencia. Por primera vez, puse mi vida en riesgo por el evangelio.

Una cosa es estar dispuesto a arriesgar tu vida, pero otra muy diferente es llevarlo a cabo. Gracias a que me expuse a una situación que nunca había experimentado, sentí la presencia del Espíritu Santo de una forma completamente inédita. Regresé a casa transformado.

Capítulo 20

EL PERFECTO AMOR DEL PADRE

Después del viaje a Kirguistán, estaba listo para retirarme de la música.

No tenía contrato. Estábamos recibiendo llamadas de sellos discográficos que querían ficharme, y mientras manteníamos conversaciones con las diferentes compañías, me di cuenta de que no quería construir el imperio de Jeremy Camp. Entiendo lo que significa una marca y promocionarla, y valoro lo importante que es no solo hacerlo, sino hacerlo bien. Pero me encontraba en un momento en el que era demasiado consciente de que todo a mi alrededor siempre era «Jeremy Camp esto» y «Jeremy Camp aquello».

Estaba considerando la idea de cantar de manera independiente en lugar de con un sello. También estaba pensando en hacer un cambio drástico en la manera en la que predicaba. Nuestros hijos tenían entre tres y diez años, y Egan, el más pequeño, ya tenía la edad suficiente como para plantearnos la posibilidad de involucrar más a la familia en el ministerio.

La experiencia en Kirguistán y el riesgo que había corrido allí me impulsaron a estar dispuesto a ir donde fuera que Dios me enviara. Si el Señor me hubiera dicho que deseaba que me convirtiera en misionero, hubiera renunciado a la música y vendido nuestra casa para mudarme al país que Él eligiera. Adrienne estaba completamente de acuerdo.

No estoy diciendo que no me importara la música porque no era así. Sin embargo, después de Kirguistán, me daba igual cómo me ganara la vida siempre que cumpliera con la voluntad de Dios. Todavía me encantaba tocar, pero en mi corazón había surgido un nuevo deseo: seguir a Dios adonde Él quisiera que fuera, y estaba dispuesto a hacer lo que me indicara. Si eso significaba dejar de formar parte de la industria de la música, bienvenido fuera. Tampoco estaba ansioso por descubrir qué vendría a continuación. En mi mente, lo único que pensaba era: *Dios, sea lo que sea, sé que tengo que seguirte a Ti.*

Mientras Adrienne y yo rezábamos en busca de una guía, me sentí inspirado y escribí algunas canciones, aunque no tenía ningún contrato que cumplir o un álbum que lanzar. Estas canciones nuevas surgieron del viaje a Kirguistán. Escribí «Same Power» (El mismo poder) después de reflexionar sobre esa experiencia y de preguntarle a Dios: «¿Cómo logré hacer todo eso cuando estaba aterrado entre tanta resistencia?». Entonces recordé el versículo 8:11 de Romanos: «Y, si el Espíritu de aquel que levantó a Jesús de entre los muertos vive en vosotros, el mismo que levantó a Cristo de entre los muertos también dará vida a vuestros cuerpos mortales por medio de su Espíritu, que vive en vosotros».

¡Ahí está! ¡Eso es!, me di cuenta. Eso es lo que me dio fuerzas... Su misma fortaleza, Su mismo poder, Su mismo Espíritu, aquel que permitió a Cristo caminar sobre el agua, resucitar a los muertos y hacer que se levantaran de la tumba. ¡Ese mismo poder vive en nuestro interior!

Cuando me acuerdo de esa época, me doy cuenta de que esa etapa posterior al viaje a Kirguistán hizo que surgiera en mí una nueva llama de crecimiento espiritual. Más que de dar un paso adelante, creo que di un paso hacia la madurez, ya que deposité mi vida entera a los pies del Señor y dije: «Estoy dispuesto a renunciar a todo. Estoy listo para ir adonde Tú me indiques». Fue una época trascendental y maravillosa que recuerdo con mucho cariño.

Reaparecen viejos problemas

Después de más plegarias, firmé con Capitol Records. El primer álbum que surgió de ese contrato uvo un título muy apropiado: *I Will Follow (Te seguiré).* Tuvimos momentos muy emotivos cantando «Same Power», así como también «He Knows» (Él lo sabe) y «Christ in Me» (Cristo está en mí), los otros dos sencillos principales del álbum. Me sentía renovado y lleno de la energía del Espíritu Santo. Con la seguridad de que Dios deseaba que continuara en el mundo de la música, tomé ese camino con plena determinación. En el año 2017, escribí mi siguiente álbum, *The Answer* (La respuesta), y todo siguió saliendo bien.

Después volvimos a tener noticias de Kevin Downes. Había seguido en contacto con mi representante, Matt, y se llamaban como una vez al año; siempre nos decía que creía en mi historia y que todavía quería llevarla a la pantalla. En cada ocasión, yo pensaba: *Genial. Eso estaría genial... algún día.* Pero en esta ocasión, Kevin me dijo que estaba produciendo una película con los hermanos Jon y Andy Erwin: *La canción de mi padre / Si solo pudiera imaginar*, la historia de la vida de mi amigo Bart Millard, de Mercy Me.

Seguía pensando que contar mi historia a través de una película sería maravilloso, porque sabía que Dios utilizaría mi testimonio para llegar a muchas personas. Pero también sabía que el Señor tendría que indicarme cuándo sería el momento adecuado.

Kevin contactó con nosotros con mucha más frecuencia, y empecé a tener la sensación de que el momento había llegado. Aunque hasta que Kevin y yo no entablamos las primeras conversaciones con posibles directores y guionistas, no pensé que la película llegara a buen puerto. Pero ahora las cosas habían cambiado. A medida que se iba concretando la idea de la película, reflexioné cada vez más sobre todo lo que había atravesado en la vida y empecé a hacer un viaje real a través de esas emociones y ese dolor.

Mientras tanto, una persona cercana a Adrienne y a mí estaba luchando con las adicciones. A menudo, aquellos que sufren una adicción tienden a manipular y a engañar a quienes les rodean, y este caso no fue la excepción. Adrienne y yo estábamos profundamente dolidos porque confiábamos y respetábamos a nuestro amigo. Nos esforzamos por comprender por qué las cosas habían llegado a ese punto. Y también intentamos descubrir por todos los medios posibles cómo recuperar la confianza en una relación completamente deteriorada. Volví a hacerme las mismas preguntas del pasado: Dios, *¿qué está pasando* Además de la falta de confianza y el dolor provocados por esta situación, estaba reviviendo los recuerdos de la enfermedad de Melissa y de su partida para estar con Jesús mientras pasaba cada vez más tiempo pensando en rodar una película.

La muerte de un cónyuge es algo traumático. Los efectos perduran en el tiempo y afloran de manera inesperada. Al revivir esa parte de mi vida mientras luchaba contra las circunstancias que rodeaban a Adrienne y a mi amigo, volví a caer en mis viejos conflictos con el miedo y la confianza. Cuando resurgen estos problemas, mi instinto me lleva a tomar el control de la situación, aunque sé que en realidad estoy tratando de arrebatárselo a aquel que lleva las riendas de mi vida: Dios.

En enero del 2018, llevé a mis hijas, Bella y Arie, a Uganda, en una misión de Speaking Louder Ministries. Fue un viaje de emociones encontradas, ya que era la primera vez que viajaba con nuestras niñas sin Adrienne. Las niñas llevaban un año rezando porque se materializara ese viaje y el resultado fue maravillosa; Dios obró de formas increíbles. A nuestro encuentro en Kampala, la capital de Uganda, asistieron unas treinta y cinco mil personas. Nuestras hijas formaron parte de un milagro de Dios que hizo que miles de personas aceptaran a Cristo como su Salvador. He viajado a países extranjeros durante casi veinte años, y todavía me asombra que tantas personas entreguen su corazón al Señor. El hecho de que mis hijas hayan presenciado ese acontecimiento a una edad tan temprana y con todos los años que tienen por delante me maravilla y hace que piense en cómo ese momento puede moldear su forma de predicar cuando sean adultas.

Las misiones y eventos que organizamos desde nuestro ministerio no son solo conciertos. Viajamos a otros países para llevar el mensaje de que Dios es esperanza y queremos que ese mensaje continúe resonando con fuerza después de que nos hayamos ido y regresado a casa. En Uganda, organizamos una conferencia para los líderes religiosos de las zonas aledañas a Kampala. La formación espiritual recibida por los pastores en ese seminario sigue teniendo su repercusión por toda Uganda en las voces de los ministros locales cuya pasión es predicar la Palabra de Cristo a su propio pueblo. En la pequeña ciudad de Entebbe también construimos un centro médico para satisfacer las necesidades físicas de las personas, lo que, a su vez, permite abrir los corazones de aquellos que sufren para que Jesús pueda llevarles la sanación que más necesitan: la espiritual.

Estoy muy orgulloso del trabajo realizado por las personas asociadas a nuestro ministerio. Me emociona que Bella y Arie hayan podido ser testigos de cómo Dios cambió vidas en Uganda. Fue un viaje increíble, pero no me resultó fácil. En el aspecto físico, el mejor término para describir cómo me sentí es «raro». Estuve nervioso desde el principio hasta el final, obsesionado con que algo pudiera pasarle a mis niñas. Tenía miedo, desconfié de todo y quise controlar la situación en todo momento.

Regresé a casa exhausto.

Adrienne y yo habíamos planeado hacer un viaje en familia a Italia, con la intención de liderar la alabanza en una gira en Roma y luego en Israel. Sin embargo, parte de la familia se puso enferma en Italia en nuestros únicos días de vacaciones. Y al llegar a Israel, no me encontraba bien. A veces sentía una opresión en el pecho y en una ocasión estuve a punto de tener un ataque de pánico. Por suerte, conseguí evitarlo respirando hondo y luego me olvidé de él.

Un par de semanas después de regresar a casa, Adrienne salió durante algunas horas y yo me puse a hacer un poco de ejercicio. De pronto, volví a sentir ese ataque de pánico en ciernes, pero esta vez con una fuerza arrolladora, de una forma que jamás había experimentados. Llamé a Adrienne, desesperado. Me costaba respirar. No sabía qué hacer, así que me tumbé en el suelo hasta que ella regresó y me ayudó a calmarme.

Tras ese episodio, caí en una profunda depresión que duró casi una semana. No dejaba de pensar en cosas extrañas como «*¿Qué sucede si muero y no hay nada?*». Durante cuatro días sentí como si estuviera perdiendo la razón. Me acostaba en el suelo e invocaba a Dios. Adrienne rezaba constantemente y luchaba a mi lado. Lo único que sabía hacer era alabar. Durante años, he guiado a miles y miles de personas a la alabanza, pero en ese momento, hasta eso me resultaba difícil. Algunas veces recibía un pequeño impulso para ponerme de pie, pero parecía como si estuviera intentando salir de un pozo trepando y, cuando empezaba a avanzar un poco, la tierra a la que me agarraba cedía y volvía a caer al fondo.

Por fin, un día, mientras rezaba, Dios empezó a mostrarme cuál era el verdadero problema: mi corazón. Me indicó que estaba intentando tomar el control de las situaciones en lugar de seguirlo a Él, que estaba confiando en mis propias habilidades (limitadas como eran) en lugar de en las suyas. Revivir la enfermedad y el sufrimiento de Melissa fue difícil. La traición del amigo a quien quería y respetaba me hizo mucho daño. El Señor lo sabía. Comencé a arrepentirme de todas las ocasiones en las que había intentado controlar todo, mi familia, mi esposa, mi carrera. Me arrepentí de cualquier temor o falta de compasión que albergara mi corazón. Y en medio de esa depresión, Dios supo las palabras exactas que necesitaba escuchar: *Te amo. Confía en mí. El amor perfecto destierra el temor. Y mi amor por ti es perfecto.*

Recordé el instante, años atrás, en el que había caído en el pozo y Él me había rescatado y me había envuelto en sus brazos amorosos.

Mira cuán leal te he sido. Mira lo que he hecho por ti. Te amo.

Amor perfecto. Los seres humanos no somos capaces de profesarnos esa clase de amor. Pero eso es lo que Dios nos brinda.

En ese momento Dios no estaba enfadado conmigo. No quería saber qué iba mal, o por qué sentía esa amargura, por qué intentaba tener el control y no confiaba en Él a pesar de que me había demostrado en incontables ocasiones su lealtad. No, Él solo me dijo que me amaba y que podía confiar en Él porque tenía el mejor plan para mi futuro. No me estaba prometiendo que no atravesaría más dificultades. Eso iría en contra de lo que Su Palabra nos transmite. Pero me aseguraba que, con independencia de las vicisitudes que se me presentaran, Él siempre estaría allí para mí. Y siempre me amaría. De manera perfecta, como solo Él sabe hacerlo.

Medidas preventivas

Las canciones que escribí después de esa experiencia conforman la mayor parte de lo que considero mi álbum más íntimo y personal desde el primero que lancé tras la muerte de Melissa. En el álbum titulado *The Story's Not Over* (La historia no ha terminado), la canción que le da el título y «Father» (Padre) surgieron de todo lo que sentí al rememorar mi vida, mis luchas y la obra que Dios hizo en mí.

En la canción «Father» pinto un hermoso retrato de Dios como nuestro Padre celestial y describo la confianza plena que depositamos en Él para nuestra sanación.

Mentiría si os digo que Dios me rescató de inmediato de ese pozo en el que estaba atrapado. La depresión desapareció, pero los efectos de la ansiedad duraron varios meses mientras aprendía día a día a confiar de nuevo en Dios. Cuando abría la Biblia, no solo lo hacía para leer un fragmento y obtener un consejo para ese día, sino para regocijarme en la Palabra de Dios.

Fue un proceso que necesitaba atravesar. Aunque preferiríamos que Dios nos rescatara de inmediato de nuestros problemas, creo que algunas veces Él escoge conducirnos por el camino más largo porque tenemos lecciones que aprender mientras trepamos para salir de nuestros pozos. Mientras Él toma nuestras manos y tira de nosotros hacia arriba, nosotros vamos afianzando los pies en las paredes del pozo con cada paso que damos, conocemos mejor Su fortaleza y aprendemos más sobre Su paciencia para superar situaciones de maneras que mejoren nuestra relación con Él.

En esos momentos, me he dado cuenta de que, algunas veces, lo mejor que podemos decir a Dios es: «Lo siento».

Un «lo siento» dicho con sinceridad es una frase que requiere una gran humildad. Como había salido de una fase en la que había escogido confiar en mí mismo en lugar de en Dios, necesitaba aprender a ser humilde ante Él.

Ahora creo que Dios me estaba mostrando esas debilidades por una razón. Después de regresar de Kirguistán, me había sentido en la cima del mundo, porque había visto Su lealtad desplegada en toda su gloria. Pero incluso cuando pensaba que las cosas iban de maravilla, seguía arriesgándome a caer en mis viejos temores y falta de confianza. Él me recordó que esas eran las debilidades que me hacían más vulnerable frente al enemigo. Tenía que hacer todo lo posible para protegerme a mí mismo en ese plano para el futuro que Él me tuviera preparado.

Capítulo 21

¡LUCES! ¡CÁMARA! ¡ACCIÓN!

Cuando en marzo del 2018 se estrenó en los cines *La canción de mi padre / Si solo pudiera imaginar*, Kevin, Matt y yo todavía nos encontrábamos en la fase de las conversaciones preliminares de mi historia. Tenía la impresión de que Kevin primero quería ver cómo iba la película de Bart (algo comprensible del todo). La película superó todas las expectativas y obtuvo más de quince millones de dólares en taquilla solo en el primer fin de semana. El éxito era más que merecido pues tenía una calidad sublime.

Dos semanas después del estreno de *La canción de mi padre / Si solo pudiera imaginar,* Kevin llamó a Matt y le dijo que quería reunirse con él para empezar a hablar.

—Tenemos que rodar esta historia —anunció.

Casi al mismo tiempo, los hermanos Erwin y Kevin habían lanzado su propio estudio cinematográfico, Kingdom Studios, especializado en películas de corte religioso. No logramos un avance significativo, ya que Kingdom Studios estaba manteniendo conversaciones privadas para llegar un acuerdo con Lionsgate, que había distribuido la película de Bart, así como otras películas religiosas de éxito como *Hasta el último hombre* y *La cabaña*.

Durante ese período de espera, me preguntaba si la película terminaría rodándose o no. He descubierto que conseguir que una idea llegue a la fase de rodaje es como subir a la montaña rusa más larga del mundo.

Al final Kevin nos comunicó que en Kingdom no estaban seguros de si querían que su siguiente proyecto fuera otra película sobre la vida de un cantante. Nos aseguraron que todavía querían rodar la película, pero que era muy posible que lanzaran otra historia entre la película de Bart y la mía.

Bueno, estaba enormemente agradecido por el mero hecho de que hubieran tenido en cuenta mi historia. Sin embargo, me pregunté si el hecho de que Kingdom alcanzara un acuerdo con Lionsgate perjudicaría mis posibilidades de rodar la película. Llevábamos años hablando con Kevin, y ya conocía cuál era su opinión con respecto a mi historia, pero no sabía nada sobre Lionsgate o si estaban interesados en llevar mi periplo al cine. Eso nos dejó en otra especie de limbo, pero supuse que, si la película estaba destinada a hacerse, tarde o temprano se haría.

La siguiente vez que tuve noticias de Kevin fue para decirme que los hermanos Erwin querían reunirse con Adrienne y conmigo para grabarnos hablando sobre mi testimonio. Tuve que hacer algunos cambios en mi agenda y logramos reunirnos hacia el final del verano.

Primero les narré mi historia y luego ellos hicieron algunas preguntas a Adrienne.

—Lo que más me impactó fue cuando Melissa dijo que su muerte habría merecido la pena si con ello conseguía que, al menos una persona, entregara su vida a Cristo. Pues yo soy una de esas personas. No estaba pasando por un buen momento y Dios se valió de su testimonio para llegar a mi corazón —les dijo Adrienne.

Cuando Adrienne terminó de hablar, Jon y Andy hicieron una pausa, nos miraron y dijeron:

—*Tenemos* que contar esta historia.

Querían que mi película fuera la próxima en rodarse. Más adelante me confesaron que fue la respuesta de Adrienne la que los convenció para dar prioridad a mi testimonio.

Ahora, Kevin y los hermanos Erwin tenían que convencer a Lionsgate. Grabamos un vídeo de ocho minutos (más bien una demo) para contar la historia al distribuidor. No tenía idea de lo que podría suceder. Lo sorprendente fue que, Bree Bailey, vicepresidente de Lionsgate, había crecido a unos treinta minutos de Lafayette, Indiana. Estudió en Purdue y conocía Pizza King y otros lugares a los que yo solía salir cuando estuve allí. Bree ya conocía mi historia y mi música, y nos dio todo su apoyo.

En Lionsgate no solo decidieron rodar la película, sino que quisieron hacerlo de inmediato.

El rodaje tenía que empezar en mayo del 2019 y terminar a finales de junio. En ese momento, por primera vez después de todos esos años de incertidumbre, me di cuenta de que la película se iba a rodar de verdad. ¡Y en breve!

Las dos prioridades eran escribir el guion y elegir el elenco.

El guion comenzó a escribirse en enero. El rodaje empezaría en cuatro meses, y yo pensaba: *¿les dará tiempo a terminarlo?*

Me dijeron que, aunque el guion sería fiel a la historia, era necesario rehacerla para que cupiera en las horas de metraje y tuviera coherencia. Como sucede en todas las películas basadas en hechos reales, esperaba que las palabras claven fueran precisamente esas «basada en». Una parte de mí temía que cambiaran casi toda la historia. Así que, cuando recibí el primer borrador, estaba muy nervioso. Adrienne y yo nos pusimos a leerlo de inmediato y lloramos durante la mayor parte de la lectura. Utilizamos la misma palabra para describirlo: *hermoso*. Me asombró la precisión con la habían plasmado mi historia. Lo escribieron Jon Erwin y Jon Gunn, y más adelante recibieron la ayuda de Madeline Carroll. Incluso transcribieron algunas de las frases que había usado cuando les había contado todo. Me impresionó que se tomaran tan en serio que la película fuera fiel a los hechos.

Mientras ultimábamos los detalles del guion, comenzamos a pensar en el elenco.

Por supuesto, uno siempre quiere actores y actrices de renombre que den prestigio al proyecto. Más o menos en el mes de marzo, me comunicaron que estaban pensando en KJ Apa para interpretar mi papel, una versión universitaria de mí. No sabía quién era KJ, y me informaron que era un actor muy codiciado, conocido por su interpretación en la serie de televisión *Riverdale*. Tampoco la había visto.

Recuerdo haber dicho:

—Ah, de acuerdo.

—No, confía en nosotros, tiene que ser él. Es increíble. Aunque puede que nos cueste conseguirlo —respondieron.

Pues si estaban intentando contratar a KJ, por mi parte solo podía rezar: «Dios, si este es tu designio, permite que suceda».

Por la gracia de Dios, KJ firmó con nosotros después de leer el guion y nos aseguró que quería formar parte del proyecto. En cuanto nos conocimos, sentimos una conexión inmediata y nos convertimos en grandes amigos.

Poco después de haber firmado con KJ, Gary Sinise aceptó interpretar el papel de mi padre. En este caso, sí sabía quién era Gary. Poder contar con un actor como él en el elenco fue algo increíble, ¡había ganado un Emmy y un Globo de Oro y había sido nominado para un Oscar!

Para interpretar el papel de Melissa, sabíamos que teníamos encontrar a alguien con quien KJ conectara para que la química entre ambos fluyera en la pantalla. Se presentaron unas cien actrices al *casting*, algunas de ellas muy conocidas. Pero según los productores que participaron del proceso de audiciones, ninguna parecía la adecuada para interpretar a Melissa.

Al ver que la primera ronda del *casting* no había tenido éxito, KJ preguntó:

—¿Qué os parece Britt Robertson?

Había visto a Britt en películas como *Como la vida misma* y *Tomorrowland*, y enseguida me pareció una idea estupenda

KJ y Britt habían trabajado juntos en *Tu mejor amigo* (España) / *La razón de estar contigo* (Hispanoamérica), así que KJ le envió un mensaje. Y después… nada. Al ver que no recibía respuesta, admitió sin tapujos:

—Vaya, qué vergüenza siento ahora mismo.

Entonces, KJ decidió enviar un privado a Britt a través de Instagram, contándole que iba a protagonizar una película, que le gustaría que también actuara en ella y que echara un vistazo al proyecto. También mencionó que había intentado ponerse en contacto con ella con un mensaje de texto.

—Lo siento muchísimo —respondió Britt—. Cambié de número de teléfono.

¡KJ sintió un alivio enorme!

Britt leyó el guion y dijo:

—Tengo que hacer esta película.

Cuando por fin firmó el contrato, pensé *¡Madre mía, este elenco es increíble!* Luego incorporamos a Melissa Roxburgh (*Manifest*) para interpretar a Heather, la hermana mayor de Melissa. Nathan Parsons, quien protagonizó la serie *Roswell, New Mexico*, aceptó interpretar a mi amigo y mentor Jean-Luc Lajoie. Y después Shania Twain firmó para hacer de mi madre, y Nicolas Bechtel y Reuben Dodd de mis hermanos Jared y Josh respectivamente.

Entonces llegó el turno de encontrar a una actriz para el papel de Adrienne. Conseguimos fichar a Abigail Cowen, de *Stranger Things*. Adrienne y Abigail conectaron enseguida durante el rodaje y ha sido muy bonito ver cómo se iba estrechando su amistad.

La reacción de los integrantes del elenco después de leer el guion me dejó estupefacto. Todos querían formar parte de la película. Eso sí, que para reunir al elenco estuviéramos ocupados, en algunos casos, hasta el último minuto, hizo que me alegrara de no pertenecer a la industria cinematográfica. Pero sin duda alguna, teníamos un reparto elegido por el Señor. Recuerdo uno de los días en que estaba presenciando el rodaje en el que pensé que era incapaz de imaginar un elenco distinto al que en ese momento estaba interpretando mi historia.

La siguiente etapa

Me encantó ir al set de rodaje y ver cómo la historia tomaba forma gracias al talento de esos actores y actrices increíbles. Intenté mantenerme al margen y permitir que los profesionales hicieran su trabajo, pero tanto el elenco como el equipo fueron muy amables con Adrienne y conmigo mientras estuvimos allí presentes. De tanto en tanto, Andy Erwin me hacía preguntas, y KJ me pedía que le contara cómo había reaccionado ante situaciones específicas. Todos se encontraban absolutamente comprometidos a interpretar de manera correcta hasta el último detalle. Eso significó mucho para nosotros; ver como todos respetaban y cuidaban nuestra historia.

Me perdí casi la mitad del rodaje debido a mi agenda, que incluía terminar un álbum. Y luego tuve que ausentarme dos semanas para asistir a una conferencia en Hawái. ¡Imaginaos a alguien poniéndose triste por tener que viajar a Hawái!

El primer día que volví al set a mi regreso de Hawái estaban rodando la escena del hospital en la que Melissa cree que está curada e intenta salir de la cama. Cuando Britt se sentó en la cama y exclamó: «¡Ha desaparecido! ¡Ha desaparecido!», no pude soportarlo. Me di la vuelta y corrí en busca de un rincón en el que poder desmoronarme y llorar. Adrienne me siguió fuera del plató y me abrazó hasta que pude controlar mis emociones.

La escena del hospital me resultó demasiado real, como si la estuviera reviviendo. He contado muchas veces lo que sucedió en el hospital pero, excepto en mis recuerdos, esa era la primera vez que en realidad *veía* a Melissa intentar salir de la cama.

La escena de la muerte de Melissa también tenía fijada una fecha de rodaje, y ese día decidí no pasarme por el set. Cuando se rueda una película es necesario grabar varias tomas de cada escena, y yo no tenía fuerzas para verlas una y otra vez.

En general, presenciar momentos de mi vida en un set de rodaje fue una experiencia surrealista. Adrienne y yo observábamos cada escena y comentábamos que nunca habíamos creído posible que esta película viera la luz. Estar presente durante el rodaje hizo que me diera cuenta de que el deseo de Melissa de llegar al corazón de una sola persona se había transformado en un mensaje que ya había alcanzado a millones y que, gracias a la película, alcanzaría a otras muchas más.

Intento mantener una actitud abierta a lo que Dios quiera obrar en mi vida, por lo que me sentí enormemente honrado al sentir que Él me estaba confiando la oportunidad de volver a compartir Su historia, en una nueva etapa, a través de esta película. Entre las muchas emociones que sentí, sobre todo había gratitud. Gratitud por todo lo que el Señor había hecho para conducirme hasta ese momento y por haberme preparado para lo que generaría la película.

Él éxito de la película de Bart Millard preparó el camino para que se pudiera rodar *Mientras estés conmigo*. Bart es un amigo de confianza que tuvo la generosidad de brindarme parte de su tiempo para que habláramos no solo sobre el proceso de rodaje, sino también de lo que debía esperar después de su estreno. Si no habéis visto la película *La canción de mi padre / Si solo pudiera imaginar*, recomiendo que lo hagáis. Una parte de la historia de Bart relata su vida con un padre violento. Bart se abrió a mí y me explicó cómo el rodaje había hecho que resurgieran algunos de los traumas que todavía albergaba con respecto a su progenitor, y cómo ver la grabación de algunas escenas había despertado emociones con las que todavía tenía que lidiar.

—Amigo, prepárate porque la gente va a querer compartir contigo su propia historia. Y tienes que estar preparado para la carga tan pesada que te va a suponer conocer tantos testimonios —me advirtió.

Lo último era algo que ya había experimentado, hasta cierto punto, con el libro y al dar mi testimonio durante los conciertos. Bart me dijo que sería lo mismo, pero a gran escala, ya que la película llegaría a muchas más personas.

También me anticipó que recibiría aún más invitaciones para hablar sobre mi experiencia con el sufrimiento y que, muchas veces, tendría la sensación de que no era ningún experto en la materia para hablar sobre eso, que incluso tendría mis dudas sobre si debía hacerlo o no. Pero luego me ofreció un gran consejo:

—Solo haz aquello que sientes que Dios quiere que hagas. No lo hagas solo porque te hayan dado la oportunidad. Asegúrate de que esa sea la voluntad de Dios.

Necesitaba oír justo esas palabras. En numerosas ocasiones, Dios me ha indicado que no todas las cosas buenas provienen de Él, que el hecho de que se me presente una oportunidad que, a primera vista, parece muy recomendable, no significa necesariamente que Él desee que yo la aproveche.

Después de hablar con Bart, creo que, a partir de ahora, mi prueba de fuego será descifrar si me siento o no en paz con respecto a las oportunidades que se me presenten. Valoro mucho los sabios consejos que me dio y la predisposición que tuvo al compartirlos conmigo.

Lo que no quiero hacer es negar a las personas la oportunidad de hablar con mayor detalle sobre la película y mi historia. Preveo que surgirán más posibilidades de las que voy a poder aceptar. Pero también sé que debo cuidar de mí mismo y de mi familia.

En cuanto a Adrienne… ¡Le debo tanto! Si en cualquier momento me hubiera dicho: «No creo que pueda lidiar con esta película», no me habría hecho falta oír nada más. Desde que nos conocimos, hace dieciocho años, ha apoyado por completo mi causa. Me ha alentado a hablar sobre Melissa. Algunas veces, incluso ha sido ella misma la que me ha impulsado a hacerlo porque cree en el poder de mi testimonio y en la lealtad de Dios por encima de todas las cosas.

Siempre ha estado a mi lado, y eso no cambió durante el rodaje de la película. Verla animar a todo el mundo en el set se ha convertido en un recuerdo imborrable. Tanto el elenco como el resto del equipo me decían siempre: «Tu esposa es increíble». Y yo respondía: «¡Lo sé!».

Adrienne y yo llevamos casados dieciséis años. Tenemos tres hijos que no paran de crecer. Pero somos conscientes de que, en algún momento de la película, los espectadores se enamorarán de Jeremy y Melissa y sentirán una gran decepción al ver que no pudimos compartir nuestras vidas juntos.

Adrienne me ha dicho:

—Sé con absoluta certeza que Dios obrará a través de esta película, y eso es lo único que importa. No se trata de mí. Pero no soy ingenua. Sé cómo reaccionará el público a tu historia de amor con Melissa. He pensado en ello en algunos momentos. Y no es algo fácil, pero le estoy pidiendo al Señor que con Su gracia prepare mi corazón y me ayude a lidiar con ello. Tengo muy claro que debemos hacer esto, y quiero que todo el mundo sepa lo que Dios ha hecho en tu vida.

Es una mujer increíble. Y me encantaría que esta película también fuera un homenaje a Adrienne.

Pero, sobre todo, quiero que sea un homenaje a Dios porque su amor perfecto me ha enseñado cómo amar y cómo ser amado.

Capítulo 22

TODAVÍA CREO

Fe y familia. Mi historia siempre parece girar en torno a esos dos pilares.

Mis padres siguen viviendo en Lafayette y todavía predican en la misma iglesia que fundaron hace veinticinco años. Harvest Chapel se ha ganado la reputación de ayudar siempre a los más necesitados de la ciudad. Es increíble ver lo que el Señor ha obrado en esa iglesia y a través de ella, y cómo ha bendecido a mis padres por su fe y lealtad.

Mi hermana, April, está casada, tiene cuatro hijos maravillosos y también es un poderoso ejemplo de la gracia y misericordia de Dios. Cuando dejé mi casa para estudiar en el colegio bíblico, April todavía transitaba caminos equivocados, pero llegando a extremos mucho peores que los míos. Sinceramente, su vida era un desastre. Mientras estaba en el colegio bíblico, me postraba con el rostro contra el suelo y rezaba: «Dios, por favor, haz que mi hermana regrese a Ti». Tardó un tiempo (no fue hasta después de que terminara mis estudios), pero logró volver a consagrar su vida a Cristo, y su esposo, Trent, hizo lo mismo. Ambos sirven lealmente al Señor junto a mis padres. Trent es líder de alabanza, y mi hermana se ocupa de la cafetería de la iglesia donde se reúne la comunidad local.

Mi hermano Jared se casó con una chica increíble llamada Heather, y también tienen cuatro hijos extraordinarios. Jared y yo nos llevamos ocho años de diferencia, y como me pasé la mayor parte de mis años de instituto siguiendo mis propios impulsos, cuando me fui a estudiar al colegio bíblico no tenía con él la relación tan estrecha que deberíamos haber tenido. Después me quedé a vivir en California y empecé a hacer giras por todo el país. Sin embargo, al final Jared y yo pudimos construir esa ansiada relación. Es un guitarrista con mucho talento y ha tocado en nuestra banda. Actualmente es el pastor de nuestra iglesia en California. Viajar juntos cuando formaba parte de la banda nos brindó la oportunidad de recuperar el tiempo perdido. Espero haber podido ser el hermano mayor que no fui durante tantos años y haber alentado los dones que Dios le ha otorgado.

En cuanto a Joshua, ¡qué jovencito tan especial que es! Nació con síndrome de Down y solo tenía ocho años cuando me fui a estudiar a California, así que tampoco pude compartir mucho tiempo con él durante su infancia. Joshua siempre ha sido una persona alegre. Recuerdo que, cuando se ponía enfermo, mi madre decía: «Joshua, vamos a rezar para que te sientas mejor». Mi madre rezaba y Josh de inmediato respondía: «¡Ay, ya estoy mejor!».

Josh me ha enseñado mucho gracias a esa fe infantil que posee. Cuando estaba enfermo, confiar era un acto muy simple para él: si mi madre rezaba, Dios lo curaría. Tan sencillo como eso. Siempre me ha encantado observarlo interactuar con las personas. Si se encontraba con alguien en la iglesia, lo abrazaba y le daba cariño, y su rostro se iluminaba con la sonrisa más hermosa. Aunque ha sufrido muchos problemas de salud y últimamente ya no lo vemos tan alegre, llegará el día en el que mi hermanito se libere de las limitaciones del síndrome de Down. No puedo esperar a verlo en la presencia del Señor, donde podrá disfrutar de una comprensión completa y de una alegría todavía más profunda que la de sus mejores días pasados.

Adrienne y yo nos mudamos de Lafayette y nos fuimos a vivir cerca de Nashville en el año 2007. ¡Al principio pensé que alejarnos de mi familia sería más difícil para Adrienne que para mí! Ella y mi madre habían establecido un vínculo parecido al de Rut y Noemí. La Biblia dice que el hombre dejará a su padre y a su madre y se unirá a su esposa, pero ella estaba tan unida a mis padres que bromeaba con que era ella la que estaba abandonado a sus propios padres[22]. Sin embargo, fue una época de crecimiento como pareja en la que aprendimos a sentar las bases de la que luego sería nuestra propia familia.

Adrienne conoció a las hermanas de Melissa, Megan y Heather, en California poco antes de casarnos; se hicieron amigas y se han mantenido en contacto a lo largo de los años. Durante los primeros aniversarios de la muerte de Melissa, Adrienne envió flores y una carta a sus padres. Ellos nos hicieron un regalo de boda y luego mandaron detalles para Bella y Arie. Cuando Adrienne y nuestras hijas conocieron a Mark y a Janette, fueron muy cariñosos con Adrienne.

Dios se ha portado muy bien conmigo y me ha bendecido con una familia maravillosa. Rezo para que lo mundano no atraiga a mis hijos y que, a medida que crezcan y se encuentren con algunos de los placeres terrenales que perseguí de joven de una forma tan absurda, digan: «Qué tontería, no me importa lo más mínimo».

Adrienne grabó dos álbumes en solitario, aunque por ahora, ha preferido no seguir su carrera como solista. De vez en cuando, piensa en grabar algunas canciones que tengan un significado especial para ella y sirvan de aliento a otros, y puede que algún día retome la música. Lo que sí ha hecho es empezar a escribir. Ha escrito dos libros. Después de la película, ambos tenemos la sensación de que deberíamos hacer más cosas juntos. Pero todavía no sabemos exactamente qué. Por ahora hemos escrito en conjunto un libro sobre el matrimonio llamado *In Unison* (Al unísono), que saldrá a la venta al mismo tiempo que se estrene la película. Para mí, uno de los mejores aspectos de que nuestros hijos estén creciendo es que Adrienne y yo hemos tenido la oportunidad de predicar juntos. Admiro que Adrienne haya dejado en punto muerto su carrera para poder centrarse en ser madre, y una muy buena. Educa a nuestros hijos en casa para que ella y los niños tengan la flexibilidad necesaria para poder viajar conmigo. Me encanta salir de gira, pero me detesto alejarme de mi familia. En general, si sé que voy a estar fuera más de una semana, mi familia me acompaña para que no estemos separados mucho tiempo. Algunas veces también vienen conmigo en viajes más cortos.

A pesar de que llevamos muchos años casados, Adrienne y yo seguimos hablando por teléfono y todavía mantenemos nuestras buenas conversaciones. (Después de todo, fue lo que hicimos la mayor parte de nuestro compromiso). No es la mejor manera de comunicarse, pero creo que Dios le ha brindado a nuestro matrimonio una gracia y compasión especiales para llevar a cabo lo que estamos destinados a hacer en su nombre.

Pero mis hijos necesitan la presencia de su padre, no solo su voz a través del teléfono. Necesitan que yo esté presente y pasar tiempo conmigo. Necesitan que sea su ejemplo.

Cuando los niños eran mucho más pequeños y Adrienne se quedaba en casa con ellos mientras yo viajaba, rezaban juntos por las noches y mi mujer les decía: «Papá está hablando de Jesús con mucha gente, y algún día nos encontraremos con todos en el cielo».

Luego ellos me preguntaran: «¿Es verdad que hablas de Jesús con la gente, papá?». ¿No es maravilloso? Ahora, son más grandes y ya no hacen esas preguntas, pero todavía nos brindan su apoyo absoluto cuando hay que hacer sacrificios para compartir las obras que Dios ha hecho en nuestras vidas.

Cuando Bella era pequeña, recuerdo un día en que estaba conversando con ella y le dije:

—Te quiero tanto.

—¿Más que a Jesús? —preguntó.

—No —le respondí.

Bella me ofreció la mirada más dulce y dijo:

—Está bien. Sé que se supone que tienes que quererlo más a Él.

Me siento bendecido por poder compartir mi carrera con mi familia.

Como Adrienne lleva a sus espaldas unas cuantas giras, sabe la locura que supone vivir en la carretera. También conoce el aspecto comercial de la industria musical. En algunas ocasiones, cuando viajamos todos juntos, y percibe que el ritmo de conciertos está empezando a afectarme, me dice: «Eh, si ves que es demasiado, los niños y yo nos volvemos a casa y te dejaremos continuar con lo tuyo» o me deja espacio y me advierte que no me preocupe por ellos. Es una mujer extraordinariamente generosa.

Y tiene una voz preciosa (¡y un adorable acento sudafricano!). Y esto no lo digo porque sea mi esposa, porque ya lo afirmaba hace tiempo, durante el Festival Con Dios, cuando todavía no se había encendido la chispa entre nosotros.

Suele hacerme los coros en el escenario y en los CD. Reconozco que siento algo muy especial cuando comparto mi testimonio sobre lo que atravesé con Melissa y cuento las historias que hay detrás de «Walk by Faith» y «I Still Believe» y después las canto con Adrienne. Algunas veces cuando cantamos, siento que Dios ha tenido la gentileza de hacer que por fin haya encontrado la plenitud.

Como os podéis imaginar, me hacen muchas preguntas sobre Melissa y Adrienne. Es difícil de describir, pero es como si mi corazón, en vez de apartar a una para hacer lugar a la otra, se hubiera expandido para dejar espacio a ambas. Y ahora que Adrienne y yo llevamos casados dieciséis años, no existen las comparaciones. No es que alguna vez las haya habido, pero Adrienne es la persona que Dios me ha enviado para caminar conmigo en esta vida. Algunas veces, cuando pienso en ello, no dejo de asombrarme.

También me fascinan muchas otras cosas que Dios ha obrado en mi vida. ¡Es un Dios increíble! ¿Cómo no iba a querer hablar de Él con todos?

Recuerdo lo que pensé hace mucho tiempo, aquella mañana de Navidad, cuando desenfundé mi guitarra Taylor. Esos pensamientos siguen formando parte de mi misión hoy en día: *Señor, haz lo que quieras de mí. No son mis planes, sino los Tuyos. Aquí me tienes.*

Mi deseo

Muchas veces me han preguntado cuál es mi definición de alabanza. Mi respuesta es «cualquier cosa que hagamos que glorifique al Señor». Un periodista que me hizo esa pregunta dijo que mi respuesta lo había sorprendido porque esperaba que un músico contestara con algo relacionado con la música.

He oído a algunas personas que definen la alabanza como «himnos dedicados al Señor» o «canciones que cantamos en la iglesia los domingos por la mañana». Pero la alabanza abarca mucho más que la música. La alabanza puede ser algo tan sencillo como una conversación. Si estoy con alguien y estamos hablando sobre el Señor y sobre lo que Él ha obrado en nuestras vidas, si estamos enalteciendo Su nombre, entonces considero que eso es alabar a Dios.

El proyecto de alabanza me ofreció la primera oportunidad de trabajar con un sello. Después me catalogaron dentro del segmento de rock cristiano de nuestra industria. Más adelante, comenzaron a clasificar mi música como contemporánea para adultos. He tocado estilos diferentes de canciones, pero en lo que a mí respecta, siempre he sido un músico de alabanza. Mejor dicho, siempre me he considerado como un músico *que alaba* al Señor.

Una de mis canciones se llama «My Desire» (Mi deseo). A menudo me piden que explique el por qué mi música es tan profunda, pero «My Desire» transmite un mensaje bastante simple. Como dice uno de los versos: «This is my desire, to be used by You» (Este es mi deseo, convertirme en tu instrumento).

Eso es todo. Ese es mi deseo, que Dios se valga de mí.
Explico mejor este deseo en dos versos que van casi al final de la canción:

There's not much I can do to repay all You've done / No hay mucho que pueda hacer para pagarte todo lo que has hecho,
So I give my hands to use / así que te doy mis manos para que te sirvas de ellas.[23]

Mis manos son una parte vital de mi cometido en este mundo. Toco la guitarra con ellas. Escribo canciones con ellas. Así que, cuando digo que las pongo al servicio de Dios para que Él las utilice como desee, lo digo de manera literal. Pero más que mis manos, le entrego mi corazón.

Quiero escribir canciones que lleguen al corazón de Dios. Creo que cuando Dios ve que uno de sus hijos escribe canciones de amor para su Padre (canciones que lo glorifican), su corazón se regocija. Para mí, las canciones escritas con el corazón son auténticas. Son honestas. Surgen de lo más profundo de las emociones. Cuando soy sincero y digo: «Muy bien, Dios, así es cómo me siento», abro mi corazón al Señor para que Él pueda hacer otra transformación en mi interior.

Dios se refirió a David como un hombre conforme a Su corazón, no porque David fuera perfecto, sino porque estaba arrepentido[24]. Leed los salmos de David; es evidente que él siempre fue honesto con Dios sobre sus pensamientos y sentimientos, y contemplad lo que el Señor obró en él.

Yo deseo que mi relación con Dios sea igual, una relación donde mi corazón esté abierto por completo para que Él pueda moldearme como desee. Y quiero que mi música ayude a otros a encontrar esa honestidad en su relación con Dios.

Ese es mi deseo.

Otra canción que cantamos dice: *We'll sing it out to let all the World know that Jesus saves / Cantamos para que todo el mundo sepa que Jesús salva.* Durante los últimos años, el Señor nos ha permitido llevar ese mensaje a nuevos rincones, organizando espectáculos internacionales en más de cuarenta países.

He aprendido que, ya se trate de una audiencia extranjera que escucha mis palabras traducidas o las lee en Instagram, hay más personas de las que imaginamos que necesitan oír cómo Dios nos ha ayudado a atravesar los valles más profundos de la vida para poder ponerse de pie y decir: «¡Tenemos que creer!».

Pero, si os soy sincero, algunas noches, sobre todo durante los primeros años posteriores a la muerte de Melissa, cuando me preparaba para salir al escenario plenamente consciente de que muchas personas del público estaban allí para oírme compartir mi historia y luego cantar «I Still Believe», no quería cantarla. Sabía que las palabras eran auténticas, pero yo no las sentía así.

Le decía a Dios: *No me parece que seas bueno. No siento que seas leal.* Esas noches, para mí era un auténtico acto de fe decir: *De acuerdo, Dios, a pesar de que no la siento, cantaré la canción.* Podía decir eso porque había atravesado momentos en mi vida en los que, cuando menos lo esperaba, Dios había estado allí para mí. Esas noches, cuando dejaba de lado lo que no estaba sintiendo y cantaba lo que sabía era cierto, veía que el Señor se manifestaba de manera poderosa entre las personas del público.

En los últimos años, ha habido noches en las que he pensado: *¡Ahora no puedo cantar esta canción porque en este momento no siento confianza en el Señor!* O me he preguntado: *¿Cómo puedo decir a estas personas que* *todavía creo cuando tengo tanto miedo a lo que sucederá a continuación con mi vida?* Pero al recordar las ocasiones anteriores en las que he confiado en Dios y, aun así, he cantado «I Still Believe», he salido al escenario y he puesto mi alma en ello. Cada vez que he hecho eso, Dios me ha sorprendido con todos los corazones a los que Él llega a través de la canción, y si hubiera hecho lo contrario, habría permitido al enemigo asegurarse la victoria.

La historia de todo lo que viví con Melissa no es solo una historia; es mi testimonio. Y «I Still Believe» no es solo una canción; es mi grito de batalla.

Han pasado casi veinte años desde aquel día que estaba sentado en el sofá de mis padres y, aunque no deseaba hacerlo, tomé mi guitarra y «I Still Believe» empezó a surgirme del corazón.

(Estrofa 1)
Scattered words and empty thoughts / Palabras inconexas y pensamientos vacíos
Seem to pour from my Heart / Parecen brotar de mi corazón
I've never felt so torn before / Jamás me he sentido tan destrozado
Seems I don't know where to start / No sé por dónde empezar
But it's now that I feel Your grace fall like rain / Pero ahora es cuando siento tu Gracia cayendo como la lluvia
From every fingertip, washing away my pain / Desde cada punta de los dedos, llevándose mi dolor

(Estrofa 2)
Though the questions still fog up my mind / Aunque las preguntas todavía me nublan la mente
With promises I still seem to bear / Con promesas en las que aún creo
Even when answers slowly unwind / Incluso cuando las respuestas se manifiestan despacio
It's my heart I see You prepare / Veo que prepares mi corazón
But it's now that I feel Your grace fall like rain / Pero ahora es cuando siento tu Gracia cayendo como la lluvia

From every fingertip, washing away my pain / Desde cada punta de los dedos, llevándose mi dolor

[Puente]
The only place I can go is into Your arms / El único lugar al que puedo ir es a Tus brazos
Where I throw to You my feeble prayers / Donde deposito ante Ti mis débiles plegarias
In brokenness I can see that this was Your will for me / En mi desolación, veo que esto es lo que querías para mí
Help me to know You are near / Ayúdame a saber que estás cerca

[Estribillo]
I still believe in Your faithfulness / Todavía creo en Tu lealtad
I still believe in Your truth / Todavía creo en Tu Verdad
I still believe in Your holy Word / Todavía creo en Tu Palabra sagrada
Even when I don't see, I still believe[25]*. / Incluso cuando no veo, todavía creo*

Jamás había podido expresar esas palabras por mí mismo. Perdido en un valle, sintiéndome solo e incapaz de ponerme de pie, miré por sobre la neblina que me envolvía y vi a Dios allí conmigo, la mano extendida para levantarme, para guiarme a la otra orilla de mi desesperación.

No fue un camino fácil. De hecho, continúa y continuará hasta que llegue ese día prometido en el que «ya no habrá muerte, ni llanto, ni lamento, ni dolor». A lo largo de mi vida, Dios ha hecho que conozca a personas maravillosas que me han ayudado a llegar al punto donde me encuentro ahora. Pero más que eso, Dios ha encontrado un lugar en mi vida. Me ha acompañado en cada paso que doy. No siempre me he dado cuenta de que estaba cerca, pero ahora que salí de la desesperación, lo sé.

Sé que muchos de los que habéis oído o leído la letra de «I Still Believe» os identificáis conmigo y pensáis que os encontráis en esa misma situación. Mi más sincero deseo para cada uno es que descubráis la esperanza y la curación que el Señor me ha otorgado. Yo también he estado atrapado en ese mismo valle. Así como Dios se valió de Jon Courson para hablarme en su casa en Oregón, os aseguro que Dios os mostrará la salida de ese valle.

Me gustaría poder deciros cuándo podréis salir. Pero no puedo hacerlo. Todos somos diferentes. Todos lidiamos con nuestras circunstancias de manera distinta. Pero tenemos un Dios que obra en nosotros a nivel individual. Él nos ha creado con un plan específicamente diseñado para cada uno. Aceptad a las personas que Dios pone en vuestras vidas para ayudaros a superar las dificultades. Y aceptad a Dios. Quizás os estéis preguntando, tal y como yo hice, si Él os escucha. Si a Él realmente le importa cada una de vuestras tribulaciones. Si se encuentra cerca de vosotros. Creedme, Él escucha vuestros llantos, quejidos y lamentos. Sois importantes para Él. Él está cerca… justo a tu lado.

Así que poneos de pie y alabadlo. Ahora mismo. No esperéis hasta haber cruzado a la otra orilla. Dios merece que lo alabéis en todo momento. No dejéis pasar la oportunidad de glorificarlo en medio de la incertidumbre. Puede que estéis pasando por un mal momento, pero Dios siempre es bueno. Abrid vuestro corazón a Dios, decidle con total sinceridad cómo os sentís y después descubrid el alcance con el que Él puede valerse de vosotros, aun cuando creáis que no sois dignos.

He estado en esa situación y nunca querría volver a pasar por lo mismo. Pero ahora me siento sumamente agradecido de que, en medio del dolor, la soledad, la confusión y la agonía, Dios haya estado allí conmigo, haciéndome crecer y madurar, amándome y llevándome con ternura hacia Él. Esta vida está repleta de decepciones y dolor, pero Dios es leal.

Por esa razón, incluso cuando no puedo ver, me pongo de pie y canto que todavía creo.

Todavía creo.

Y, gracias a lo que Dios me ha hecho pasar, *seguiré* creyendo.

Notas

1. «I Still Believe», letra de Jeremy Camp, © 2002 Stolen Pride Music (ASCAP) Thirsty Moon River Publ. Inc. (ASCAP) (CapitolCMGPublishing.com). Todos los derechos reservados. Publicación autorizada.
2. Hebreos 4:12.
3. Ezequiel 36:24-32.
4. Mateo 7:24-29.
5. Filipenses 1:21.
6. Nehemías 8:10.
7. Tesalonicenses 5:18
8. «Walk by Faith», letra de Jeremy Camp, © 2002 Stolen Pride Music (ASCAP) Thirsty Moon River Publ. Inc. (ASCAP) (CapitolCMGPublishing.com). Todos los derechos reservados. Publicación autorizada.
9. «Revive me», letra de Jeremy Camp, © 2002 Stolen Pride Music (ASCAP) Thirsty Moon River Publ. Inc. (ASCAP) (CapitolCMGPublishing.com). Todos los derechos reservados. Publicación autorizada.
10. Mateo 21:12-13.
11. «Breaking My Fall», letra de Jeremy Camp, © 2002 Stolen Pride Music (ASCAP) Thirsty Moon River Publ. Inc. (ASCAP) (CapitolCMGPublishing.com). Todos los derechos reservados. Publicación autorizada.
12. Proverbios 27:17.
13. Mateo 18:3.

14. 1 Juan 4:8.

15. 1 Pedro 1:6.

16. Mateo 28:18-20

17. Juan 10:10

18. «Beyond Measure», letra de Jeremy Camp, © 2002 Stolen Pride Music (ASCAP) Thirsty Moon River Publ. Inc. (ASCAP) (CapitolCMGPublishing.com). Todos los derechos reservados. Publicación autorizada.

19. 2 Corintios 1:4.

20. «There Will Be a Day», letra de Jeremy Camp, © 2002 Stolen Pride Music (ASCAP) Thirsty Moon River Publ. Inc. (ASCAP) (CapitolCMGPublishing.com). Todos los derechos reservados. Publicación autorizada.

21. Thomas, G. (23 de enero de 2015). Secret Believers Share Faith Under Fire, *CBN NEWS*. Recuperado de https://www1.cbn.com/cbnnews/world/2013/june/secret-believers-share-faith-under-fire.

22. Génesis, 2:24.

23. «My Desire», letra de Jeremy Camp, © 2002 Stolen Pride Music (ASCAP) Thirsty Moon River Publ. Inc. (ASCAP) (CapitolCMGPublishing.com). Todos los derechos reservados. Publicación autorizada.

24. Hechos 13:22.

25. «I Still Believe», letra de Jeremy Camp, © 2002 Stolen Pride Music (ASCAP) Thirsty Moon River Publ. Inc. (ASCAP) (CapitolCMGPublishing.com). Todos los derechos reservados. Publicación autorizada.

Acerca del autor

Jeremy Camp es un músico que ha conseguido cuarenta números uno, cuatro discos de oro y que ha vendido más de cinco millones de álbumes. Ha recibido una nominación a los Grammy, tres premios American Music Awards y cuatro premios ASCAP en la categoría de Compositor del año. Vive con su esposa, Adrienne y sus tres hijos en Tennessee.